CARL FRIEDRICH VON SIEMENS STIFTUNG · THEMEN BD. 87

Marie Theres Fögen
Das Lied vom Gesetz

Herausgegeben von Heinrich Meier

MARIE THERES FÖGEN

Das Lied vom Gesetz

Zweite, durchgesehene Auflage

Carl Friedrich von Siemens Stiftung
München

Zu den Abbildungen

Die Umschlagvorderseite zeigt das Werk »Concert de Munich no. 1, Colère de violoncelle« (1963) von Arman (Armand Fernandez). Louisiana Museum of Modern Art, Humlebæk, Dänemark.

Für die Genehmigung zum Abdruck danken wir:

VG Bild-Kunst, Bonn (Seiten 50, 95, 118/119 und Umschlagvorderseite); Sammlung Würth, Inventarnummer 6459 (Seite 15); © Estate of James Lee Byars, Courtesy Galerie Michael Werner, Köln u. New York (Seite 42).

Aus einem Vortrag hervorgegangen, der am 14. März 2006 in der Carl Friedrich von Siemens Stiftung gehalten wurde. Der Abend wurde geleitet von Professor Dr. Luca Giuliani.

Inhalt

Vorwort

Ein Gesetz kommt selten allein. Das nackte Gesetz hat, so scheint es, keine Existenz. Die Tautologie »Gesetz ist Gesetz« ist nichts wert, die Paradoxie »Gesetz ist nicht Gesetz« erst recht nicht. Zahlreich waren und sind deshalb die Versuche, dem Gesetz eine Zweitfassung zu verleihen, es zu verdoppeln, ihm ein Präludium vorauszuschicken oder einen Segen nachzusenden, ihm einen Ursprung zu verschaffen oder ihm ein anderes, ein literarisches, ein poetisches Gewand anzuziehen – und ihm zu sagen, was es sagt. Einige Takte der Lieder vom Gesetz – zu einer Symphonie werden sie sich nicht fügen – möchte ich im Folgenden erklingen lassen. Ich folge dabei nicht dem Gesetz der Chronologie, sondern der Chronologie des Gesetzes.

Der Text nahm seinen Anfang als Vortrag bei der Carl Friedrich von Siemens Stiftung im März 2006. Allen damaligen Teilnehmern und insbesondere dem Leiter der Stiftung, Heinrich Meier, gilt mein herzlicher Dank für Kritik und Anregungen. Großen Dank schulde ich den geduldigen Beratern und wachsamen »Vorlesern« der Druckfassung aus meinem Frankfurter und Zürcher Freundeskreis.

1. Das Lied vor dem Gesetz

Der 11. August 1792 war ein schwarzer Tag für Platon. Die Constituante in Paris hatte beschlossen, dass ab sofort »tous ses décrets seront imprimés et publiés *sans préambule* ...«[1] Robespierre hatte sich durchgesetzt.[2] Die »absurd despotischen Formeln« und Präambeln, welche den französischen Gesetzen bis anhin vorausgeschickt worden waren, verschwanden. Das Gesetz erschien nun unbekleidet und ungeschmückt als nackter Befehl. Die selbstbewusste und stolze *volonté générale* lehnte es ab, sich in einem Vorwort zum Gesetz selbst zu belehren, welche Ziele sie zu ihren eigenen Gunsten verfolge. Sich selbst zu überzeugen, den eigenen Gesetzen zu gehorchen, hielt sie vollends für überflüssig.[3]

Eben diese Überzeugungsarbeit hatte Platon einst für nötig und ratsam gehalten.[4] Unter den Ärzten, so hebt er an, gebe es Sklaven, welche Sklaven behandeln, indem sie diesen »nach Art eines Tyrannen« verordnen, was ihnen gut

1 *Collection générale des Lois*, Bd. 3. 2. Paris 1818, S. 609 (No. 2021).

2 M. Bouloiseau, G. Lefebvre, A. Soboul (Hg.): *Œuvres de Maximilien Robespierre*, Bd. 6: Discours 1789–1790. Paris 1950, S. 111. Vgl. im Einzelnen Ernst Walder: *Die Überwindung des Ancien régime im Spiegel der Präambel*, in: Schweizer Beiträge zur Allgemeinen Geschichte 11 (1953), S. 121–166; Marie Theres Fögen: *The Legislator's Monologue. Notes on the History of Preambles*, in: Chicago Kent Law Review 70.4 (1995), S. 1593–1620 (insb. S. 1604–1607).

3 »... les représentants de la Nation parlent au nom de la Nation, et expriment la volonté générale, il suffit donc qu'ils l'exposent pour qu'on y obéisse.« *Gazette Nationale, ou le Moniteur Universel*, no. 69 du 8 au 9 octobre 1789, S. 283.

4 *Nomoi* 720–723. Dazu Seth Benardete: *Plato's »Laws«. The Discovery of Being*. Chicago, London 2000, S. 143–152. Umfassend Gerhard Ries: *Prolog und Epilog in Gesetzen des Altertums*. München 1983.

tue. Freie Ärzte hingegen, die Freie therapieren, lehrten ihre Patienten zunächst die Einsicht in ihre Krankheit und überzeugten sie, die für sie heilsame Verordnung zu akzeptieren. Diese doppelte Methode der Überzeugung und der Verordnung habe unbestreitbare Vorzüge, weshalb man »das Doppelte und das Einfache« ($\tau\grave{o}$ $\delta\iota\pi\lambda o\hat{v}v$ $\tau o\hat{v}\tau o$ $\kappa\alpha\grave{\iota}$ $\dot{\alpha}\pi\lambda o\hat{v}v$, 720E) auch für die Gesetzgebung betrachten solle. So könne zum Beispiel ein Gesetz, das eine Heiratspflicht anordne, als »einfaches Gesetz« mit Befehl und Strafandrohung erlassen werden. Im Gegensatz zu einem solchen einfachen, »unvermischten« und »reinen« Gesetz ($\nu\acute{o}\mu o\varsigma$ $\ddot{\alpha}\kappa\rho\alpha\tau o\varsigma$) integriere das »verdoppelte« Gesetz die Notwendigkeit, die Gründe und Zwecke seines Befehls.

Viel zu sehr betone, so Platon, der Gesetzgeber bislang seine Gewalt ($\beta\acute{\iota}\alpha$) und vernachlässige entsprechend, die Adressaten der Gesetze sanft auf diese einzustimmen. Dies sei umso unverständlicher, als doch auch dem *nómos* in der alten Bedeutung des Worts, nämlich dem »Lied«, wie aller Musik, ein Präludium voranzugehen pflege. Um wie viel mehr gehöre sich dies für die politischen *nómoi*! Er, Platon, empfehle deshalb das »doppelte Gesetz«, das Überredung und Befehl vereint, das doppelzüngig parliert, das gleichzeitig »aus beiden Seiten seines Mundes spricht«.[5] Das nackte Gesetz wird angekleidet mit süßen Worten, der Befehl wird verkleidet mit Hilfe der Kostüme »Menschengeschlecht« ($\tau\grave{o}$ $\dot{\alpha}\nu\theta\rho\acute{o}\pi\iota\nu o\nu$ $\gamma\acute{e}\nu o\varsigma$), »Unsterblichkeit« ($\dot{\alpha}\theta\alpha\nu\alpha\sigma\acute{\iota}\alpha$), »Natur« ($\phi\acute{v}\sigma\iota\varsigma$), »Gottgefälligkeit« ($\tau\grave{o}$ $\ddot{o}\sigma\iota o\nu$) und »Vorsehung« ($\pi\rho\acute{o}\nu o\iota\alpha$).[6] Die Verkleidung flattiert das Gebot,

---

5 Benardete (Anm. 4), S. 147: »the law speaks out of both sides of its mouth at once«.

6 *Nomoi* 721B–C.

verdeckt den Befehl, ja, verhilft dem Gesetz zu Unsichtbarkeit – und dadurch zu einer nie da gewesenen Freiheit: »Nur in der Verkleidung bleibe ich ungesehen«, sagt das Gesetz. »Da werden zwar die hungrigen Blicke der anderen gefüttert, aber nicht mit mir, sondern mit dem Phantom, das ich vorgebe zu sein. Ich selbst bewege mich«, triumphiert das Gesetz, »in einer – darf man sagen: göttlichen, soll man sagen: teuflischen? – Freiheit.«[7]

Platon selbst wird angst und bange. Was er da vermengt und vermischt hat in der Dopplung des Gesetzes – Gewalt und Überredung –, droht ein amorphes Monster zu werden. Das Gesetz als Phantom seiner selbst mag verführen, schmeicheln, den menschlichen Hunger nach Sinn füttern. Doch ein Gesetz, in dem Gewalt und ihr schmuckes Kostüm eins geworden sind, mag auch umso freier tun und lassen, was es will, vermag, unbemerkt von den verführten Bürgern, hinterlistig und heimlich seinen Willen durchzusetzen, auch einen unguten und unverschämten Willen.

Rhetorisch ungeschickt, geradezu linkisch trennt Platon deshalb, was er soeben zusammengeführt hatte: »Und die Gesetze, die ich eben doppelte genannt habe, scheinen mir nicht so einfach doppelte zu sein (*οὐκ εἶναι ἁπλῶς οὕτω πως διπλοῖ*, 722E), sondern geradezu zwei verschiedene Dinge: ein Gesetz und eine Vorrede zum Gesetz.« Normative Kraft gebühre nur dem Logos des Gesetzes. Der Prologos wird damit zum Vorspiel, das den garstigen Befehl nicht mehr zu kaschieren vermag, sondern nur auf ihn vorbereitet, auf dass – Platons Leidenschaft für Erziehung bricht sich Bahn – die Befehlsempfänger »geneigter und aufgrund dieser Geneigtheit gelehriger« (723A) sein mögen.

7 Peter von Matt: *Die Intrige*. München, Wien 2006, S. 100.

Dem Platonischen Lied vor dem Gesetz war – nach einiger Inkubationszeit – ungewöhnlich großer und anhaltender Erfolg beschieden. Zwar hatte der Stoiker Poseidonios im 1. Jahrhundert v. Chr. Protest angemeldet und spöttisch angemerkt: »Nichts scheint mir trivialer, nichts abgeschmackter als ein Gesetz mit Prolog. ... Warne mich! Sag' mir, was du willst, dass ich tue! Ich lerne nicht, ich gehorche!«[8] Doch als die Fabrikation von Gesetzen so recht in Schwung kam, in der römischen Kaiserzeit und Spätantike,[9] da ertönte das Lied vor dem Gesetz lautstark von allen Seiten, im byzantinischen und im westlichen Mittelalter, in der europäisch-absolutistischen Neuzeit und auch in der neuesten Zeit. Alle Gesetzgeber, Kaiser und Papst,[10] Basileus[11] und Patriarch, sangen mit, besangen das *genus humanum*, die *iura naturae*, die *communis humanitatis ratio*,[12] bejubelten sich selbst, ihren Eifer und ihre Erfolge,[13] priesen Gott für seine Gnade, bezirzten die armen Untertanen mit ihrer Fürsorge: »Schön ist das Erbarmen mit allen Bedürftigen, noch schöner mit denjenigen, die aus dem Wohlstand in die Armut hinab gezogen wurden, wenn das Erbarmen ihre Bedürftigkeit lindert und sie über das allzu bittere Leid

---

8 Nihil videtur mihi frigidius, nihil ineptius quam lex cum prologo. Überliefert bei Seneca, ep. 94, 38 = Willy Theiler (Hg.): *Poseidonios. Die Fragmente*. I: Texte. Berlin, New York 1982, F 451.

9 Ries (Anm. 4), S. 127 ff.

10 Zu diesen Heinrich Fichtenau: *Arenga. Spätantike und Mittelalter im Spiegel von Urkundenformeln*. Graz, Köln 1957, S. 89 ff.

11 Herbert Hunger: *Prooimion. Elemente der byzantinischen Kaiseridee in den Arengen der Urkunden*. Wien 1964.

12 Präambel zu Diokletians Preisedikt aus dem Jahr 301 n. Chr., hg. von Siegfried Lauffer. Berlin 1971.

13 So insbesondere Justinian in seinen Novellen, z. B. Nov. 1 aus dem Jahr 535 n. Chr.

tröstet.«[14] Ein starker Chor von gelehrigen Sängerknaben des Platon, dessen pädagogischen Eifer noch Kaiser Leon der Weise teilt:»Wenn nun die Nomoi wahrlich wie die Väter sind, wie dies ja der Fall ist, so folgt daraus notwendig, dass sie die Strafen im rechten Verhältnis zu den Vergehen festsetzen müssen und nicht etwa die Strafe als einen Gewaltakt (βίαιόν τινα) und viel schwerer als das Vergehen selbst verhängen dürfen. Denn wo bliebe dann die sittliche Erziehung (παιδαγωγία), wo die sich daraus ergebende Heilung (ἰατρεία)?«[15] Kein Gesetz ohne Ouvertüre, keine Verordnung ohne Präludium, kein Befehl ohne Prätext. »Louis, von Gottes Gnaden König von Frankreich und Navarra … Die Nationalversammlung, die unsere Besorgnis und unsere Bestürzung über die Höhe der Getreidepreise teilt …, hielt es für nötig, mehrere Verfügungen zu treffen …, die sie uns bittet zu sanktionieren. … Nach Meinung unseres Rats und aufgrund unseres eigenen sicheren Wissens, unserer unbegrenzten Macht und königlichen Autorität, haben wir verordnet …«[16]

Robespierre nahm Anstoß an »notre pleine puissance«. Am 10. August 1792 stürmte das Volk die Tuilerien. Louis XVI. wurde verhaftet, vom Thron verjagt und mit ihm, gleich am nächsten Tag, die Präambel. Das Gesetz wurde, nicht anders als Louis XVI., guillotiniert. Es rächte sich bitterlich, dass Platon vom »einfach zweifachen Gesetz« Abstand genommen und dessen zwei Teile säuberlich separiert hatte, Prolog und Gesetz. So konnte die Hinrichtung

---

14 Aus einem Prooimien-Klischee für den byzantinischen Kaiser, Hunger (Anm. 11), S. 224 f.

15 Kaiser Leon VI., Präambel zu Novelle 105, spätes 9. Jahrhundert n. Chr.

16 Louis XVI., 27. September 1789.

gelingen: Kopf ab, und was bleibt, ist der Rumpf: der nackte Befehl des Volkes an das Volk, ohne Verführung, ohne Verstellung, ohne ein Lied vom Leid des Volkes und von der Liebe des Herrschers. Nun war »das Gesetz zu einer sinnentleerten neutralen Erscheinung geworden«,[17] war Gesetz nur deshalb, weil gesetzt, ohne jegliche »mythische, theatralische, emblematische Qualität.«[18] Zu verordnen, »im Namen des Gesetzes gibt's kein Gesetz mehr«,[19] war nun ebenso begründet wie auf »Gesetz ist Gesetz« zu beharren, in aller Sinnlosigkeit beider Sätze.

Da lag er, der Rumpf des Gesetzes. Seine Kopflosigkeit zu ertragen fiel nicht leicht und wurde doch Stolz und Würde europäischer Völker im 19. und 20. Jahrhundert. Das Zeitalter der Positivität des Rechts war angebrochen und mit ihm die Einsicht, dass Menschen für Menschen Gesetze machen und Menschen sich gegenseitig nichts »vormachen« müssen. Allein vor den großen Gründungstexten der Gesellschaften, den Verfassungen, gab (und gibt) es noch Präambeln. Wie sonst, wenn nicht mit einem Prätext, kann man einen Anfang machen? Im Übrigen aber lohnt es sich schon deshalb nicht mehr, Gesetze zu schmücken und zu verkleiden, weil sie morgen vergangen sein werden. Gebrauchsware, die das Verfalldatum auf der Stirn trägt, mit Pomp und Pathos zu garnieren ist lächerlich. Und das Volk des Rechtsstaates mit einem Lied vor dem Gesetz von seinem Gesetz überzeugen zu wollen ist geschmacklos.

17 Hans-Helmut Dietze: *Der Gesetzesvorspruch im geltenden deutschen Reichsrecht*. Berlin, Wien 1939, S. 28.

18 Rainer Maria Kiesow: *Das Alphabet des Rechts*. Frankfurt am Main 2004, S. 32.

19 Georg Büchner: *Dantons Tod*, Erster Akt. »Wir sind das Volk, und wir wollen, dass kein Gesetz sei; ergo ist dieser Wille das Gesetz, ergo im Namen des Gesetzes gibt's kein Gesetz mehr, ergo totgeschlagen!«

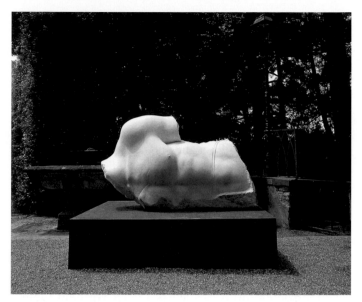

Igor Mitoraj, Torse couché, 1992

Hinweg mit »Menschengeschlecht«, mit »Unsterblichkeit«, mit »Rechten der Natur« und »Naturrecht«. Schluss auch mit Erziehung und Überredung. Platon perdu.

Doch der sinnentleerte Rumpf jammerte subkutan nach seinem verlorenen Kopf. Er erhielt ihn eines Tages, sogleich zu Kürbisgröße aufgeblasen: »Die Liebe zur Natur und ihren Geschöpfen und die Freude an der Pürsch in Wald und Feld wurzelt tief im deutschen Volk. Aufgebaut auf uralter germanischer Überlieferung, hat sich so im Laufe der Jahrhunderte die edle Kunst des deutschen Waidwerks entwickelt. Für alle Zukunft sollen Wild und Jagd als wertvolle deutsche Volksgüter dem deutschen Volk erhalten bleiben, die Liebe des Deutschen zur heimatlichen Scholle vertiefen, seine Lebenskraft stärken und ihm Erholung bringen von der Arbeit des Tages.«[20] So wird das deutsche Volk in freundliche Stimmung versetzt, um noch gelehriger aufzunehmen, dass »die Verfolgung krankgeschossenen Schalenwildes auf fremdem Jagdbezirk … nur auf Grund besonderer schriftlicher Vereinbarung zulässig« ist (§ 31), dass es verboten ist, »auf Schalenwild mit Randfeuerpatronen oder mit Patronen zu schießen, deren Hülsen kürzer als 49 Millimeter sind« (§ 35 I 2), oder dass »der Eigentümer eines in einem Jagdbezirk getöteten Hundes oder einer dort getöteten Katze« unter bestimmten Umständen Schadensersatz verlangen kann (§ 40 IV).

Feierte Platon nach der Niederlage vom 11. August 1792 im Jahr 1934 doch noch einen späten, großartigen Sieg? Erwies sich der Reichsjägermeister Hermann Göring als sein begabtester Schüler? Erziehung, Belehrung, Überzeugung sollten die Aufgabe des Liedes vor dem Gesetz sein, das Platon vom Logos des Gesetzes, dem allein normative Kraft zukam, trennte. Der Status des Liedes vor dem Logos stand nun, im 20. Jahrhundert, erneut zur Diskussion. »Ist der Vorspruch Gesetz?« Oder nur »aus weltanschaulichen, erzieherischen oder gar nur ästhetischen Gründen vorhanden?« So fragte 1937 ein Doktorand der juristischen Fakultät Erlangen.[21] Zögerlich meinte er: »Der Vorspruch erscheint im Rahmen eines Gesetzes ohne eigentlich Gesetz – im Sinne von Gesetzesnorm – zu sein.« Der junge Mann war in der Weimarer Zeit groß geworden. Er weiß, was eine »Gesetzesnorm« ausmacht, hat dies vielleicht bei dem berühmten Rechtslehrer Gustav Radbruch

---

20 Reichsjagdgesetz vom 3. Juli 1934, Reichsgesetzblatt I 549 ff.
21 Karl Pracht: *Der Gesetzesvorspruch*, Diss. iur. Erlangen. Erlangen-Bruck 1937. Zitate auf S. 108, 111, 118.

gelernt und in dessen *Einführung in die Rechtswissenschaft* gelesen: »In der Zeit des aufgeklärten Despotismus liebten es wohlwollende Gesetzgeber, in ihren Erlassen auch die *ratio legis*, den Zweck des Gesetzes, zum Ausdruck zu bringen. … Aber wer sich herablässt, von der Zweckmäßigkeit seiner Befehle zu überzeugen, verzichtet auf Gehorsam, wenn sich der Befehlsempfänger von ihr nicht überzeugen lässt. Er erniedrigt den um seines Daseins willen verbindlichen Befehl zu einem nur nach Maßgabe seiner Überzeugungskraft wirksamen Ratschlag.«[22] Das sind scharfe Worte, die Poseidonios' Skepsis aufnehmen und verstärken. Doch wenige Jahre später war der aufrechte Demokrat und Positivist Radbruch seines Amtes enthoben. Und auch der Doktorand hatte, begeistert von den Liedern der neuen Zeit, die Lehre vom positiven Recht verdrängt. Der Vorspruch, so fährt er fort, »schlägt … die Brücke vom ungeschriebenen Recht, wie es im Volke lebt, zum Gesetz. Er ist gleichsam das geschriebene Lebensrecht des Volkes. Darin liegt seine Höherwertigkeit vor dem eigentlichen Gesetz.« »Geschaffen« – wähnt der Jungjurist in seiner Ignoranz – »geschaffen … werden konnte der Vorspruch nur von einer Zeit, die auch in ihrem Rechtsdenken den Weg zu den natürlichen Zusammenhängen zwischen Recht und Gesetz und zwischen Recht, Weltanschauung, Volk und Rasse gefunden hat.«

Entgangen sind dem weltanschaulich trunkenen Doktoranden nicht nur Platons Lehren und die lebhafte Prätextpraxis des Mittelalters und des Absolutismus; übersehen hat er – für eine Doktorarbeit unverzeihlich – auch den

---

22 Gustav Radbruch: *Einführung in die Rechtswissenschaft*, 7./8. Auflage. Leipzig 1929, S. 36.

Großmeister der Juristen seiner eigenen Zeit. Carl Schmitt hatte die Frage nach der Gesetzesqualität des »Vorspruchs« schon Jahre zuvor entschieden. Trennungen und Unterscheidungen sind Erzfeinde des Totalitären. »Ganzheit« und »Gesamtheit« dulden keine Differenzen, nicht einmal den Unterschied zwischen Lied und Gesetz. Schmitt hatte Platons feine Unterscheidung zwischen Prooimion und normativem Logos, zwischen »bloßem Programm« und »positivem Gesetz«, fallengelassen und war zum »einfach zweifachen« Gesetz zurückgekehrt: »Die Leitsätze« – die »heute meistens noch ›Vorsprüche‹ oder ›Präambeln‹ genannt« werden – die »Leitsätze des heutigen Gesetzgebers sind unmittelbar und in der intensivsten Weise positives Recht.«[23] Was Platon in zwei Teile getrennt hatte, auf dass die Französische Revolution den einen Teil amputieren konnte, das wuchs nun wieder zu einem einheitlichen Corpus zusammen: »Gesetze sind organische Lebewesen, aus denen einzelne Teile nicht ohne Schaden sowohl für das Ganze wie für das Teil herausgebrochen werden können. Auch der Text der Paragraphen … bildet gleichsam den Rumpf des ganzen Gesetzes und gewinnt wie dieses erst ›Gestalt‹ durch das Hinzutreten der übrigen Glieder, die ihrerseits auch allein nicht lebensfähig sind. So betrachtet, müssen auch die Gesetzesvorsprüche als Gesetzesbestandteile gelten.«[24]

Positives Recht, von Menschenhand gesetztes Gesetzesrecht, so hatte man im Lauf des 19. Jahrhunderts erfahren, ist ebenso leer wie omnipotent. Das hatten Juristen

---

23 Carl Schmitt: *Kodifikation oder Novelle? Über die Aufgabe und Methode der heutigen Gesetzgebung*, in: Deutsche Juristen-Zeitung 1935, S. 919–925 (S. 923).

24 Dietze (Anm. 17), S. 77. Dort, S. 113 ff., auch die »Vorsprüche« zu 87 Gesetzen und Verordnungen zwischen 1933 und 1939.

zum Beispiel von Hans Kelsen gelernt: »Es gibt kein menschliches Verhalten, das als solches, kraft seines Gehalts, ausgeschlossen wäre, Inhalt einer Rechtsnorm zu sein.«[25] Das Gesetz kann deshalb seine Leere auch durch den Befehl zur »Freude an der Pürsch« und zur »Liebe zur heimatlichen Scholle« füllen. Juristen sind perplex. Was machen sie mit der positiv-normativ gewordenen Freude und Liebe? Wie subsumieren Richter traurige und liebesunfähige Zeitgenossen unter das Gesetz? Doch Juristen sind es gewohnt, mit Texten, die nie etwas sagen, umzugehen, also auch – *a fortiori*? – mit Texten, die zu viel sagen. Mit dem Surplus lässt sich sogar wirtschaften: »Die Rechtsverbindlichkeit der Gesetzesvorsprüche ist daher heute allgemein anerkannt, und man neigt sogar dazu, die Präambel für den wichtigsten Teil des Gesetzes zu halten, weil … die Gesetzesvorsprüche zur Umschreibung von Sachverhalten dienen sollen, die man nicht in die befehlende Form des Paragraphen gießen kann.«[26] Das Lied vor dem Gesetz *ist* das Gesetz, *weil* es *nicht* Gesetz *sein kann* – eine Paradoxie in ihrer strengsten Form. Gesetz ist, was man nicht befehlen kann. Was man nicht befehlen kann, davon muss man singen, vor dem Gesetz das Gesetz singen. Eine Paradoxie auch, die ihre ganze Bösartigkeit entfaltet, wenn das Lied, das nicht befehlen kann und das doch der »wichtigste Teil des Gesetzes« ist, verkündet und verordnet, »dass die Reinheit des deutschen Blutes die Voraussetzung für den Fortbestand des Deutschen Volkes ist.«[27]

---

25 Hans Kelsen: *Reine Rechtslehre*, 2. Auflage. 1960, Ndr. Wien 2000, S. 201.

26 H. Krüger: *Der Wille des Gesetzgebers*, in: Reich – Volksordnung – Lebensraum. Zeitschrift für völkische Verfassung und Verwaltung 6 (1943) S. 108 ff. (S. 176 f.).

27 Präambel des Gesetzes zum Schutze des deutschen Blutes und der deutschen Ehre vom 15. September 1935, RGBl I 1146.

Beschämt und verlegen ob seiner ordinären, perfiden und schrillen Töne, die da zwölf Jahre lang erklangen, verstummte das Lied nach 1945. Ein letzter fürchterlicher Exzess des »einfach zweifachen« Gesetzes schien beendet. Das Lied vor dem Gesetz hatte sich ein für alle Mal selbst kompromittiert und desavouiert. Doch zu einladend ist offenbar die Gelegenheit des Gesetzes, als dass man sie nutzlos verstreichen lassen wollte, zu verführerisch ist es zu verführen, und zu tief sitzt die Begierde, zu dozieren, zu lehren, zu erziehen: »Das Ziel des einheitlichen sozialistischen Bildungssystems ist eine hohe Bildung des ganzen Volkes, die Bildung und Erziehung allseitig und harmonisch entwickelter, sozialistischer Persönlichkeiten, die bewusst das gesellschaftliche Leben gestalten, die Natur verändern und ein erfülltes, glückliches, menschenwürdiges Leben führen.«[28] Einheit und Glück, Harmonie und Persönlichkeit, Gesellschaft und Natur versprachen jahrzehntelang die DDR-Gesänge vor dem Gesetz in epischer Breite. Auch mit ihnen war es dann vorbei, 1989.

Gilt heute also wieder und nur: Gesetz ist Gesetz? Der Tautologie und damit der Sinnlosigkeit meint noch immer zu entkommen, wer vor dem Gesetz singt, laut singt, wie das Kind im Wald. Hört! Was folgt, ist nicht nackte Gewalt, nicht unverhohlene Tyrannei, nicht schreiende Ungerechtigkeit, nicht bodenlose Willkür, auch nicht barer Unsinn oder bürokratischer Unfug. Was folgt, so beteuern lauthals die gegenwärtigen Fabrikanten europäischen Rechts, ist schön und nützlich, dient dem Ziel, »einen Raum der Freiheit, der Sicherheit und des Rechts aufzubauen«, was folgt,

28 Gesetz über das einheitliche sozialistische Bildungssystem vom 25. Februar 1965, Gesetzesblatt (DDR) I 83.

»zielt insbesondere darauf ab, die uneingeschränkte Wahrung der Menschenwürde ... sicherzustellen.«[29] Was folgt, wird »der Mehrsprachigkeit und dem multikulturellen Charakter der Gemeinschaft gebührend Rechnung tragen.«[30] Was folgt, dient »dem Schutz der Bevölkerung« und hat »die Wiederherstellung, Erhaltung und Verbesserung der Lebensqualität der Menschen zum Ziel.«[31] Europa baut auf Platon. Dessen Lied vor dem Gesetz heißt in Europa: »in Erwägung folgender Gründe ...« Die Gründe, die Art. 253 des Vertrags über die europäische Union zu nennen gebietet, sind nicht selten umfangreicher, wichtiger, in jedem Fall überzeugender als der folgende Logos.

Europa baut auf Platon und »empfiehlt«,[32] was dem »Ziel der Gemeinschaft« dient. »Ausreichende, gut ausgebildete Humanressourcen« sollen dazu beitragen, »dass die Öffentlichkeit eine positive Einstellung gegenüber dem Beruf des Forschers entwickelt.« »Alle Formen von Mobilität sollten als Teil einer umfassenden Humanressourcenpolitik« gestärkt werden. »Die Gesellschaft sollte die Ver-

---

29 Richtlinie 2004/83/EG des Rates vom 29. April 2004 über Mindestnormen für die Anerkennung und den Status von Drittstaatsangehörigen ..., Präambel Ziffern (1) und (10).

30 Entschließung des Rates vom 19. Januar 1999 über die Verbraucherdimension der Informationsgesellschaft, Amtsblatt Nr. C 023 vom 28/01/1999, 1–3, Präambel (11).

31 Richtlinie 76/769/EWG des Rates vom 27. Juli 1976 zur Angleichung der Rechts- und Verwaltungsvorschriften der Mitgliedstaaten für Beschränkungen des Inverkehrbringens und der Verwendung gewisser gefährlicher Stoffe und Zubereitungen, konsolidierte Fassung vom 24. 2. 2006, Präambel.

32 Die folgenden Zitate stammen aus der Präambel und dem Anhang der »Empfehlung der Kommission vom 11. März 2005 über die Europäische Charta für Forscher und einen Verhaltenskodex für die Einstellung von Forschern (2005/251/EG)«, Amtsblatt der Europäischen Union, L [= Legislative] 75/67–77. Die »Empfehlung« ist inzwischen von zahlreichen Wissenschaftsorganisationen der meisten Staaten Europas unterschrieben worden.

antwortung und den Professionalismus, den Forscher ... unter Beweis stellen, in vollem Umfang anerkennen.« Im Gegenzug sollen »Forscher ... ihre Forschung in den Dienst an der Menschheit stellen« und »alles daran setzen zu gewährleisten, dass ihre Forschung für die Gesellschaft relevant ist,« sollen bei allem »Anspruch auf Gedankenfreiheit und das Recht auf freie Meinungsäußerung« die »anerkannten ethischen Grundsätze und Verfahrensweisen« beachten. Sollen dafür sorgen, »dass Forschung nutzbringend ist und die Ergebnisse entweder kommerziell genutzt oder für die Öffentlichkeit zugänglich gemacht werden (oder beides), wenn immer sich die Möglichkeit dazu ergibt.« Forschung muss darüber hinaus »für Nichtfachleute verständlich« sein, »um der breiten Öffentlichkeit einen Zugang zur Wissenschaft zu ermöglichen.« Denn: »Die Pflege direkter Beziehungen zur Öffentlichkeit hilft Forschern dabei ... auch die Belange der Gesellschaft besser zu verstehen.«

»Besser verstehen«, »positive Einstellung«, »helfen«, »pflegen«, »Dienst an der Menschheit«, »Verantwortung« ... Das europäische Lied greift nicht nur ungeniert in die wohlgefüllte Truhe antiker und alteuropäischer Topoi, sondern übt sich in Mind-Control, teilt selbstherrlich Anerkennung und Nützlichkeit zu, belehrt hemmungslos Gesellschaft und Forscher über Freiheiten und Pflichten. Besinnungslos taumelt es in eine Semantik, deren Potential alles ermöglicht, gleichermaßen zum Wohle wie zum Wehe »der Menschheit«. Ohne Scham kündet es in seiner »Humanressourcenpolitik« von der Aufhebung der Unterschiede zwischen dem Humanitären, Ökonomischen und Politischen. Die Kommission der Europäischen Union singt Choräle vor ihren Gesetzen – Gesetzen allerdings, die andere, die Mitgliedstaaten, erlassen sollen. Je impotenter der Gesetzgeber, desto potenter das Lied. Vor den Richtlinien, Empfehlungen, Entschließungen der Kommission oder des Rats Europas stellt es eben jenen Stoff bereit, aus dessen Brennbarkeit Wärme, Feuer oder ein Flächenbrand entstehen kann, aus dessen Vermögen Autonomie oder Gefängnis fabriziert werden kann, aus dessen Beschwörungen das Gesetz »in einer – darf man sagen: göttlichen, soll man sagen: teuflischen? – Freiheit« hervorgehen kann. Es ist ein rückständiges Lied, das absolutistischen und totalitaristischen Singsang nachahmt und fortsetzt. Es ist ein gefährliches Lied, weil viele sich bemüßigt fühlen mitzusingen, bis der anschwellende Chor sich selbst als Humanressource bejubelt. Es ist ein intrigantes Lied, weil es den Völkern Europas vormacht, was die Völker Europas wollen sollen.

Platon ist konsterniert und unzufrieden. Was soll ein noch so potenter Prologos, dem kein imperativer Logos folgt? Und Robespierre ist beleidigt von der Auferstehung der »absurd despotischen Formeln«. Europa hat seine eigenen Helden und Gründungsväter, den Philosophen und den Politiker, den autoritären Erzieher und den blutverschmierten Revolutionär, verraten und verkauft. Europa singt – selbstvergessen.

2. Das Lied zum Gesetz

Am 3. Oktober 2005 brachte John McCain, republikanischer Senator aus Arizona, ein Gesetz in den Senat ein, das als McCain-Amendment bekannt werden sollte. Es verbietet grausame, unmenschliche Behandlung und Folter von Gefangenen, auch der Gefangenen in Guantanamo Bay. Zwei Tage später nahm der Senat das Amendment mit 90 zu 9 Stimmen an. Es ging als Titel X: »Detainee Treatment Act of 2005« in ein größeres Gesetzeswerk (H.R. 2863) ein, welches Ende des Jahres 2005 Präsident George W. Bush zur Unterschrift vorgelegt wurde. Am 2. Januar 2006 gab dieser bekannt: »Today, I have signed into law H.R. 2863.« Das Gesetz, einschließlich seines Titels X, war in Kraft getreten. Ein unvermischtes Gesetz, ein reiner Logos, ohne Prolog. Title X, Section 1003 (a) etwa lautet: »No individual in the custody or under the physical control of the United States Government, regardless of nationality or physical location, shall be subject to cruel, inhuman, or degrading treatment or punishment.« Ein, wie es scheint, klarer, eindeutiger Satz. Und doch ist er nur Druckerschwärze, wie alle Gesetze Druckerschwärze sind, ehe sie gelesen, verstanden, interpretiert, angewendet, kommentiert, exekutiert, zur Hilfe gerufen, abgelehnt werden – und dabei stets unter dem Verdacht stehen, dunkel und unzugänglich zu bleiben. Auch Präsident Bush war – wie wir nach einigen Umwegen sehen werden – mit den scheinbar klaren, schwarzen Buchstaben nicht zufrieden.

Dass das Gesetz als solches schwarz wie gedruckte Buchstaben ist, weiß man seit langem. Früh und immer wieder wird beklagt, dass »in dem gegebenen Gesetze eine Dunkelheit an sich selbst ist«.[33] Ja, in der Finsternis droht das Gesetz zu verschwinden, da doch manche behaupten, »ein dunkles Gesetz sey so viel als keines.«[34] Der Gesetzgeber selbst ahnt, dass er »dunkle Gesetze« erlässt oder doch »vermeintlich dunkle Gesetze.«[35] Die *obscurité de la loi* findet Eingang in das Gesetz selbst. Es bestimmt, wie mit seiner eigenen Dunkelheit umzugehen ist. Diese Bestimmung, Art. 4 des Code civil von 1804, ist ihrerseits besonders dunkel. Doch ist die »Dunkelheit« des Gesetzes ein Euphemismus. Tatsächlich ist jeder Text, gleich ob er sich als Roman oder Reportage, Gesetz oder Gedicht, Bericht oder Bild bezeichnet, ein Fass ohne Boden. Was auch immer man hineinfüllt, hat Bestand gerade einmal für den unsichtbaren Augenblick, der Gegenwart heißt, um umgehend zu zerrinnen, neuem Stoff Platz zu machen, der seinerseits im Erdreich versickert. Das Gesetz ist nicht nur obskur, es ist bodenlos.[36] Ihm gleichwohl einen wahren, wirklichen,

---

33 Theodor Schmalz: *Handbuch des teutschen Staatsrechts. Zum Gebrauch academischer Vorlesungen.* Halle 1805, § 233 = S. 192.

34 E. A. H.: *Versuch über die ersten Grundsätze von der authentischen Interpretation staats- und völkerrechtlicher Normen; zunächst in Anwendung auf die den rheinischen Bund betreffenden Staats-Acten,* in: Germanien, eine Zeitschrift für Staats-Recht, Politik und Statistik von Deutschland 2 (1809), S. 161–214 (S. 206).

35 Friedrich Wilhelm III., Kabinettsordre vom 8.3.1798, in: Carl Ludwig Heinrich Rabe (Hg.): *Sammlung Preußischer Gesetze und Verordnungen ...,* Bd. 5. Halle, Berlin 1817, S. 86–88 (S. 86).

36 Wenig optimistisch, das Gesetz verstehen und festzunageln zu können, sind die 23 Beiträge zur Frage der Verständlichkeit des Rechts in: Rechtshistorisches Journal 20 (2001), S. 479–729. Einen neuen Anlauf hat das Projekt der Berlin-Brandenburgischen Akademie der Wissenschaften *Die Sprache des Rechts,* 3 Bände, hg. von Kent Lerch. Berlin 2004–2005, unternommen, welches gleichfalls eher die unlösbaren Probleme der Verständlichkeit des Rechts aufgezeigt hat, denn Hoffnung hat aufkeimen lassen, die notorische Dunkelheit des Gesetzes erhellen zu können. Siehe dazu die Rezensionen von Benjamin Lahusen und Oliver Brupbacher in: Rechtsgeschichte 8 (2006), S. 189–209, S. 209–212.

beständigen Sinn zu verleihen, war und ist die Sehnsucht aller Interpreten. Und seit je wetteiferten viele Prätendenten darum, des Gesetzes Dunkelheit zu erhellen und dem Text einen Boden zu verschaffen, hart wie Stahl, ewig eindeutig wie die Banalität von Beton.

An erster Stelle fühlte sich der Gesetzgeber berufen, seine in dunklen Tönen schillernden Gesetze zu hüten.[37] In spätantiker Einfalt meinte Kaiser Justinian im 6. Jahrhundert n. Chr., er müsse seinen Text nur vor dem Zugriff Unbefugter schützen, damit er bleibe und bedeute, was er anfänglich war und bedeutete. Niemand solle, so bestimmt er,[38] »sich an den Gesetzen zu schaffen machen und in keiner Weise Anlass dafür geben, dass im Recht Streit, Zweifel und Überfülle herrschen. Denn dies widerfuhr schon früher dem durch das Edikt gesetzten Recht, so dass sich dieses, obwohl selbst fürwahr kurz gefasst, durch die Unterschiede der verwickelten Kommentare zu einer maßlosen Menge auswuchs.« Rein bleibe der Text! Du sollst ihm nichts hinzufügen! Kein Kommentar, kein Hypertext, kein Lied vor dem Gesetz und kein Lied zum Gesetz darf erklingen. Und wenn der Text, wider Erwarten des Kaisers, Zweifel über seinen Sinn aufkommen lässt, so müssen »die Richter darüber an die kaiserliche Hoheit referieren«, und »der Kaiser wird den Text gut und richtig auslegen, was allein ihm von den Gesetzen erlaubt ist.«

Justinians Anspruch auf Deutungshoheit war, wie wir wissen, kein Erfolg beschieden. Er hätte nicht nur die Aka-

---

37 Siehe die vorzügliche Studie von Josef Lukas: *Zur Lehre vom Willen des Gesetzgebers. Eine dogmengeschichtliche Untersuchung,* in: *Staatsrechtliche Abhandlungen. Festgabe für Paul Laband*, Bd. 1. Tübingen 1908, S. 397–427. Zum 18.–20. Jahrhundert mit reichem Material auch Bernadette Droste-Lehnen: *Die authentische Interpretation*. Baden-Baden 1990.

38 Einleitungskonstitution zu den Digesten »Dedoken«, 21.

demie von Athen, sondern auch die Rechtsschule von Konstantinopel schließen müssen, an der die Professoren dem Schreiben, Interpretieren, Auslegen nicht entsagen konnten. Außerordentlich erfolgreich war jedoch des Kaisers gesetzlicher Metatext zu den Gesetzestexten. Er diente, kaum dass Herrscher in Europa den absoluten Anspruch ihrer Macht verstanden hatten, als starke Referenz für den sogenannten *référé législatif,* die Pflicht der Gerichte, zweifelhafte Fragen dem Souverän oder einer von diesem bestellten Behörde vorzulegen. Auch der Vorbehalt der authentischen Interpretation erwies sich als bevorzugtes Mittel des Gesetzgebers, beliebige, nicht autorisierte Kommentare zum Gesetz zu unterbinden. Die Katzenmusik der Juristen, die sich »die Freyheit genommen«, »Gesetze nach ihrem Gefallen, unter dem Praetext eines oftmals bey den Haaren hergezogenen *Argumenti legis,* zu *expliciren,* zu *limitiren,* oder zu *amplificiren,*« sollte verstummen. Denn »fast kein Gesetz« ist noch vorhanden, »welches nicht *pro & contra disputiret,* und durch dergleichen eigenmächtige *Interpretation* der Rechts-Lehrer auf Schrauben gesetzt worden, wodurch dann die so genannte *communes opiniones,* und endlich *communes contra communes,* zum größten Unglück und Confusion der Justiz, entstanden.« Da nehme es nicht wunder, dass die Richter »nach ihrem Gefallen diesem oder jenem Rechts-Gelahrten beyzupflichten, und zu dem Ende eine Menge von diesen *Doctoren* zu *citiren* pflegen etc. Wodurch dann das ganze Recht *arbitrarium* gemacht.«[39] Und so bestimmt § 10 im 1. Teil, 2. Titel, es

---

39 [Samuel von Cocceji:] *Project des Corporis Juris Fridericiani …,* 2. Auflage. Halle 1750, Eingang zum Land-Recht § 4. Dass »in allen *Casibus dubiis* so viele *Affirmantes* als *Negantes allegirt* werden«, beklagt Cocceji auch in § 22 seiner »Vorrede an den Leser«.

»soll sich auch niemand unterstehen, einen *Commentarium* oder *Dissertationes* über dieses Land-Recht ... zu verfertigen«, und § 8 ebendort verfügt, dass Richter in Zweifelsfällen die Sache »an das *Departement* der Justiz-Sachen einzuschicken« gehalten sind.[40]

Gefährliche Usurpatoren des Gesetzestextes waren nicht nur die Doctores, sondern stets auch die Richter. Bestellt und bezahlt, den schwarzen Gesetzestext zum Leben zu erwecken, ihn zugunsten und zulasten von Menschen zu exekutieren, ihm damit alltäglich den heiß begehrten Sinn zu verschaffen, sollten die Richter gleichwohl nicht über die Stränge schlagen. Sobald »aucun doute ou difficulté« auftauche, verfügt Ludwig XIV. im Jahr 1667, »Nous leur défendons de les interpréter: mais voulons qu'en ce cas elles ayent à se rétirer par devers Nous, pour apprendre ce qui sera de notre intention.«[41] Gut ein Jahrhundert später repetiert Joseph II.: »Sollte aber über den Verstand des Gesetzes ein gegründeter Zweifel vorfallen, so wird solcher nach Hof anzuzeigen und die Entschließung darüber einzuholen sein.«[42] Keinesfalls und »unter keinem erdenklichen Vorwande eines Unterschiedes zwischen den Worten

---

40 Dazu Hans Müller: *Zur Geschichte der bindenden Gesetzesauslegung.* Berlin 1939, S. 5–54 – eine trotz ihres Erscheinungsjahrs bemerkenswert nüchterne und nützliche Studie, welche den »Veränderungen durch die nationalsozialistische Revolution« gerade einmal drei Pflichtseiten am Ende widmet.

41 Ordonnance civile touchant la réformation de la justice, April 1667, Tit. I Art. 7. Art. 8 erklärte Urteile, die gegen Gesetze verstießen, für null und nichtig und kündigte die persönliche Haftung der Richter für alle eventuellen Schäden an. Das Paket der Justizreform wurde schon zeitgenössisch als unnötige, unwürdige und demoralisierende Disziplinierung der Gerichte empfunden. Text und Protokolle in: *Procès-verbal des conférences tenues par ordre du Roi, pour l'examen des articles de l'Ordonnance civile du mois d'avril 1667* ... Paris 1757, S. 475 ff.

42 *Allgemeine Gerichtsordnung für Böheim, Mähren, Schlesien, Oesterreich* ... Wien 1781, § 437.

und dem Sinne des Gesetzes« dürfe der Richter von der »klaren Vorschrift dieser Gerichtsordnung« abweichen. Wort, Verstand und Sinn tanzen einen diabolischen Ringelreigen: Was ist, wenn der wahre Verstand der Worte keinen Sinn ergibt? Oder wenn der Sinn nicht zum Wort passt? Oder wenn sich das Wort erst aus dem Sinn des Gesetzes erschließt?

Schleiermacher ante portas. Der Philosoph und Theologe legte eine neue universale Kunstlehre des Verstehens vor, eine Lehre, die dazu aufforderte, den Text in der Lektüre neu zu erschaffen, und dabei nicht ausschloss, dass der Leser klüger werde, als der Autor war. Es sollte nicht lange dauern, bis auch Juristen bereitwillig die Prinzipien der Hermeneutik verstehen lernten. Eine Lektion in Methodenlehre – wie sie bis heute unverdrossen und nur um wenige Figuren vermehrt an jeder juristischen Fakultät gelehrt wird – erteilt das österreichische Allgemeine Bürgerliche Gesetzbuch von 1811:[43] Das Gesetz sei nach Wortlaut (»grammatisch«), nach seiner Stellung im Gesamtwerk (»systematisch«) und nach »der klaren Absicht des Gesetzgebers« (»historisch«) auszulegen und anzuwenden (§ 6 ABGB). Hilfsweise dürfe der Richter auf ähnliche Fälle und Gesetze zurückgreifen (»Analogie«) oder sogar »nach den natürlichen Rechtsgrundsätzen« entscheiden (§ 7 ABGB). Das ABGB hatte damit kodifiziert (und ein wenig trivialisiert), was – zur gleichen Zeit – Friedrich Carl von Savigny lehrte: »Schlechtigkeit der Preußischen p. Gesetzgebung, erklärt durch totalen Mangel des *Staats* und der *Sprache*. Größere Schlechtigkeit der *Juristen*, die nur solche Gesetze

---

43 *Das allgemeine bürgerliche Gesetzbuch vom 1. Juni 1811 …* erläutert von Moriz von Stubenrauch, Bd. 1. Wien 1854.

studieren ...«[44] Die wahre Aufgabe des Juristen bestehe darin, in der Interpretation den Inhalt des Gesetzes »nachzuerfinden«, was diszipliniert und damit wissenschaftlich nur anhand von vier Elementen geschehen könne: dem »logischen«, dem »grammatischen«, dem »historischen« und dem »systematischen« Element.[45] Auf diese Weise sollten die Juristen »das Gesetz auf eine künstliche Weise wieder entstehen lassen.«[46] Das klingt redlich und gesetzestreu und ist doch subversiv. Dass »Interpretation nur bey *Dunkelheit*, also bey mangelhaften Zuständen« nötig sei, glaubt Savigny mitnichten.[47] Dunkel ist nicht nur das von Savigny nie geliebte Gesetz, verborgen im »innern Wesen des Volks« ist vielmehr das Recht – »also alles Recht Gewohnheit, nicht Gesetz« notiert er. »Alles kommt darauf an, wie viel von diesem Recht zum Bewußtseyn kommt, frey wird, Sprache erhält – es *kann* Sprache erhalten durch Juristen, oder auch durch Gesetze, gute Gesetze haben *diesen* Zweck, andere, willkührlich bestimmende Gesetze, stören, beugen, vernichten gewaltsam das wahre Recht.«[48] So vorgetragen an der Universität zu Berlin, im Wintersemester 1813/1814.

Eine juristische Hermeneutik, die nur noch »gute Gesetze« gnädig zu akzeptieren bereit ist und den Primat der Rechtsschöpfung sich selbst zuteilt, ist für Gesetzgeber allerdings ein Graus. Und so bestimmt das ABGB von 1811

---

44 Aldo Mazzacane (Hg.): *Friedrich Carl von Savigny. Vorlesungen über juristische Methodologie 1802–1842*, 2. Auflage. Frankfurt am Main 2004, S. 205 = Methodik [1803/1804] 183v.

45 Ebd. S. 216 f. = Methodologie 1809, 39r–39v.

46 Ebd.

47 Ebd. S. 263 f. = Pandekten, Winter 1813/1814, 71r.

48 Ebd. S. 189, 71v.

bei aller Bereitschaft, die Lehren der juristischen Methode in die §§ 6 und 7 zu inkorporieren, in § 8 mit stolz erhobenem Haupt: »Nur dem Gesetzgeber steht die Macht zu, ein Gesetz auf eine allgemein verbindliche Art zu erklären.«

Die damit gerettete authentische Interpretation, so erkannte man bald, hat allerdings ihre Tücken. Wenn der Gesetzgeber spricht, so tut er dies – sonst wäre er nicht Gesetzgeber – in Form des Gesetzes, womit sein Lied zum Gesetz seinerseits Gesetz wird: »Ist mittelst eines Gesetzes die Auslegung eines früheren Gesetzes gegeben, so ist dieses in dem durch das spätere Gesetz festgestellten Sinne zu verstehen.«[49] Die autologische und autoreferentielle Verknüpfung des Gesetzes mit dem Lied zum Gesetz, das seinerseits Gesetz wird, führt in die Vorhölle der Selbstbeobachtung des Rechts: Wenn das spätere Gesetz den Sinn des früheren Gesetzes feststellt, hatte das frühere Gesetz dann schon immer diesen Sinn? Das wird man bejahen müssen, andernfalls der Gesetzgeber sich selbst seinen früheren Unsinn bescheinigen müsste. Und das wird man verneinen müssen, weil ein Gesetz, das den immer schon vorhandenen Sinn feststellt, kein Gesetz, schon gar kein neues Gesetz ist. Zuständig für die Paradoxieentfaltung waren die Herren der Rechtswissenschaft. Einer von ihnen erstellte ein Gutachten[50] in einem Rechtsstreit, der durch authentische Interpretation zu entscheiden war. Er räsonierte, ob die Interpretation ein Gesetz und, wenn ja, ein neues Gesetz sei. Werde dies bejaht, so sei durchaus zweifelhaft, ob es

---

49 *Bürgerliches Gesetzbuch für das Königreich Sachsen nebst Publications-Verordnung vom 2. Januar 1863.* Dresden 1863, § 21.

50 Abgedruckt in Günther Heinrich von Berg (Hg.): *Juristische Beobachtungen und Rechtsfälle, größtentheils in der Göttingischen Juristenfacultät und in der K. Justizcanzley zu Hannover,* Bd. 4. Hannover 1810, S. 139–167.

auf vergangene und hängige Verfahren angewendet werden könne. Unter Berufung auf einen anonymen Verfasser[51] löste er das Problem schließlich folgendermaßen: »In dem Augenblick, wo die authentische Erklärung sich [!] ausspricht, fällt sie mit der erklärten Rechtsnorm selbst zusammen, und indem sich die Erklärung mit dem Erklärten in juridischem Sinne vereinigt, hört jene, sozusagen in Hinsicht der Zeit und des Raums auf, von diesem verschieden zu sein.«[52]

Das sind, hundert Jahre vor Einstein, kecke Worte. Der »juridische Sinn« – gleichsam der Blick aus einem rasenden Sonderzug auf den Schienen der Gesellschaft – bestimmt, relativiert, ja, beseitigt im Handumdrehen die Parameter des Kalenders und der Landkarte. Das Rechtssystem behauptet und konstituiert in aller Autonomie seine Eigenzeit und seinen Eigenraum, in der und in dem zwei – aus der Perspektive eines *anderen* Beobachters: zwei – durch Zeit und Raum unterschiedene Ereignisse, das Erklärte und das Erklärende, zu einem Ereignis verschmelzen. Was immer der Gesetzgeber wann und wo zu seinem Gesetz erklärt, es war schon immer im Gesetz. »Rückwirkung«, dieses hässliche und selbst bei Juristen Abscheu hervorrufende Wort, ist nicht zu befürchten. Denn die Zeit und mit ihr jedes »Rück« ist aufgehoben. Damit kann gesetzgeberische Selbstinterpretation nicht einmal das hermeneutische Karussell antreiben und beschleunigen. Denn »wo die authentische Erklärung sich ausspricht«, vereint sie sich in derselben juristischen Sekunde mit dem Erklärten. Die Zeit

51 Nämlich E. A. H.: *Versuch über die ersten Grundsätze* (Anm. 34), dort S. 206 f.
52 von Berg (Anm. 50), S. 163 = E. A. H., S. 206 f.

steht still. Das Nachher ist das Vorher. Punktiert wird die Zeit des Rechts nicht durch die Uhr oder den Kalender, sondern durch das Zauberwort »Rechtskraft«. Erst und immer, wenn Rechtskraft eingetreten ist, gibt es kein Zurück. Dann ist auch die »offenbar irrige Auslegung oder Anwendung des Gesetzes« kein Revisionsgrund, weil »gerade die Nothwendigkeit einer authentischen Erläuterung ... darthut, dass die frühere Auslegung des Richters keine *offenbar irrige* gewesen ist.«[53]

Alle irren in der Dunkelheit des Gesetzes herum, der Gesetzgeber, die Doktoren, die Richter. Ja, man fragte sich, ob »die Dunkelheit bisweilen nicht in dem Gesetz, sondern in dem Kopf des Richters anzutreffen ist«,[54] oder ob die »Gesetzeskommission ... in Auslegung der Gesetze eben so gut dem Irrthum unterworfen (ist), als es die Gerichtshöfe bei ihren Entscheidungen sind.«[55] Letzthin, so schreibt Friedrich Wilhelm III. von Preußen an den Großkanzler und Präsidenten der Gesetzeskommission, Heinrich Julius von Goldbeck, im Jahr 1798, sei nicht einzusehen, »warum die Richter nicht eben so gut zweifelhafte Gesetze sollten erklären können, wie sie Fälle entscheiden müssen, worüber es an einem Gesetze ganz ermangelt.«[56] Das Ende des *référé législatif* kündigte sich an.

Der Paukenschlag, der den Traum von der Deutungshoheit des Gesetzgebers über seinen Text jäh beendete und das dunkle Gesetz in die Freiheit entließ, ertönte im Jahr

---

53 Fr. Xav. Nippel: *Von der Auslegung und Anwendung der Gesetze.* Linz 1822, S. 87, zit. nach Moriz von Stubenrauch (Anm. 43) zu § 8 ABGB, 99 Anm. *.

54 Gutachten bei von Berg (Anm. 50), S. 149.

55 Kabinettsordre vom 8.3.1798, in: Rabe (Anm. 35), Bd. 5, S. 86–88 (S. 86).

56 Ebd. S. 88.

1804. Art. 4 des Code Napoléon bestimmt: »Le juge qui refusera de juger sous prétexte du silence, de l'obscurité ou de l'insuffisance de la loi, pourra être poursuivi comme coupable de déni de justice.« Schweigen, Dunkelheit und Ungenügen des Gesetzes – Umstände, die lange das exklusive Lied des Gesetzgebers zu seinem Gesetz provoziert hatten – waren mit einem Mal zum missbilligten »Prätext«, zum mit Strafe bedrohten »Vorwand« des Richters degradiert, sein Urteil zu verweigern. Aus dem Verbot, die Dunkelheit des Gesetzes zu erhellen, war das Gebot geworden, eben dies zu tun. Andernfalls der Richter sich der Rechtsverweigerung[57] schuldig machte. Das Zeitalter der authentischen Interpretation war in Frankreich beendet und ging allmählich und mit viel Abschiedsschmerz in ganz Europa zu Ende.[58] Man hatte entdeckt, dass, wenn es um Recht und Unrecht geht, Gerichte das letzte Wort haben. Weshalb dann nicht auch das erste? Der Souverän des Gesetzestexts hatte entdeckt, dass er die Bürde, etwas entscheiden zu müssen, was unentscheidbar ist, lieber den Gerichten zuschob als sich selbst zu strapazieren und zu blamieren.

Und man hatte schließlich entdeckt, dass »der Gesetzgeber« ohnehin abhanden gekommen war. Parlamente parlieren. Sie produzieren Schall, der morgen Rauch ist, sagen

---

57 Marie Theres Fögen: *Schrittmacher des Rechts. Anmerkungen zum Justiz- und Rechtsverweigerungsverbot*, in: *Privatrecht und Methode. Festschrift für Ernst A. Kramer*. Basel, Genf, München 2004, S. 3–20.

58 Zu den Kuriositäten, die authentische Interpretation in parlamentarischen Zeiten zu ersetzen, gehört zum Beispiel das »Reichsamt für Gesetzesauslegung« bzw. der »Rechtshof« für streitige Auslegungsfragen, für die unermüdlich und erfolglos Alois Zeiler plädierte: *Ein Reichsamt für Gesetzesauslegung*, 1911. Ndr. in: A. Gängel, K. A. Mollnau (Hg.): *Gesetzesbindung und Richterfreiheit*. Freiburg, Berlin 1992, S. 228–233; ders.: *Ordnung, Sicherheit, Einheit des Rechts*, in: Juristische Wochenschrift 43 (1914) S. 217–221; ders.: *Entwurf eines Gesetzes zur Förderung der Rechtssicherheit*, in: Deutsche Juristen-Zeitung 36 (1931), S. 1348–1351.

in der Gegenwart, was in Zukunft gilt. Wenn die Zukunft eintritt, sind die Parlamente nicht mehr dieselben. Wie sollen sie den »Verstand« und den »Sinn« ihrer Vorgänger ermitteln und mit Überzeugungskraft verkünden? Zu sagen, welchen Sinn das Gesetz von gestern hat, überlassen sie den Gerichten. Und welchen Sinn ihr Gesetz von heute hat, überlassen sie ebenfalls den Gerichten. Das ist nicht nur Arbeitsteilung, sondern das nennt man Gewaltenteilung. Sie verwehrt der legislativen Gewalt den postnatalen Zugriff auf ihr Produkt. Dass »der Gesetzgeber« ein Lied *vor* seinem Gesetz singt, ist seit der Französischen Revolution geschmacklos. Dass er selbst bestimmt, welches der Sinn und Verstand seines Gesetzes sei, morgen und übermorgen, dass er also ein Lied *zum* Gesetz singt, ist nicht nur anstößig, sondern gilt schnell als verfassungswidrig. Der Rechtsstaat entmündigt den Gesetzgeber nach vollbrachter Tat. Einmal in die Welt gesetzt, erfreut sich das Gesetz der exklusiven Pflege und Obhut der Justiz. Sie allein sagt, was das Gesetz des Gesetzgebers sagt.

Zuweilen sagt die Justiz auch, dass der Gesetzgeber das Falsche gesagt hat. Ein Justizbeamter »spricht nur zwei Worte: ›Das Bundesverfassungsgericht‹. Mit Tönen von Altsaxophon und Paukenschlag. Laut auseinander gezogen, langsam aufsteigend bis zur entscheidenden Betonung auf der Silbe ›fass‹. Der Paukenschlag. Dann melodisch abfallend.«[59] Die so angekündigten acht Richterinnen und Rich-

---

59 Uwe Wesel: *Der Gang nach Karlsruhe. Das Bundesverfassungsgericht in der Geschichte der Bundesrepublik*. München 2004, S. 218. Dort sind auch die im Folgenden genannten und weitere Beispiele gut nachzulesen. Genaueres findet sich bei Richard Häußler: *Der Konflikt zwischen Bundesverfassungsgericht und politischer Führung. Ein Beitrag zu Geschichte und Rechtsstellung des Bundesverfassungsgerichts*. Berlin 1994, sowie bei Robert Chr. van Ooyen: *Der Begriff des Politischen des Bundesverfassungsgerichts*. Berlin 2005.

ter begründen und verkünden dann, was sie, nachdem man sie in Form einer Klage gefragt hat,[60] nicht unterlassen dürfen, etwa dass das Gesetz zur Reform des § 218 StGB (Abtreibung) nicht verfassungsmäßig sei,[61] ebenso wenig das Gesetz über den Wehrersatzdienst,[62] wohingegen das Gesetz über die Mitbestimmung in Unternehmen[63] wie auch das Zustimmungsgesetz zum Vertrag von Maastricht[64] durchaus zu billigen seien. Das Gesetz zum kommunalen Wahlrecht von Ausländern jedoch sei kein zulässiges Gesetz,[65] anders als das Gesetz über gleichgeschlechtliche Lebenspartnerschaften, welches das Grundgesetz keineswegs verletze.[66] Das Gericht bescheinigt dem Gesetzgeber Wohlverhalten oder Fehlverhalten, gelegentlich auch unter Hinweis, wie er sich bessern möge.

»Wir haben hier Anlass zu ernster Sorge: Bescheidet sich eigentlich noch das Bundesverfassungsgericht mit der

---

60 Die Klage, mit der, unabhängig von einem konkreten Rechtsstreit, Feststellung der Verfassungswidrigkeit eines Gesetzes begehrt wird, die sog. »abstrakte Normenkontrolle«, ist nur an wenigen Verfassungsgerichten Europas möglich, neben Deutschland vor allem in Österreich und seit 1980 resp. 1983 in Spanien und Portugal. Andere Länder, wie die Schweiz, lassen eine gerichtliche Überprüfung der Verfassungsmäßigkeit von Bundesgesetzen gar nicht zu oder beschränken sich, wie der Conseil Constitutionnel in Frankreich, auf *präventive* Überprüfung von Gesetzen. Übersicht bei Christian Starck, Albrecht Weber (Hg.): *Verfassungsgerichtsbarkeit in Westeuropa*, Teilband I. Baden-Baden 1986. In den USA ist die Kompetenz des Supreme Court, Gesetze wegen Verfassungswidrigkeit zu verwerfen, seit *Marbury v. Madison*, 1803, unbestritten. Mit der *political question*-Doktrin hat sich dieser Gerichtshof allerdings einige Selbstbeschränkung auferlegt; dazu Martin Stoevesandt: *Aktivismus und Zurückhaltung im United States Supreme Court*. Berlin 1999, S. 76 ff.

61 BVerfGE 37, 324.

62 BVerfGE 48, 127.

63 BVerfGE 50, 290.

64 BVerfGE 89, 155.

65 BVerfGE 83, 37.

66 BVerfGE 105, 313.

Rolle eines ›Hüters der Verfassung‹ oder tritt es zunehmend auch mit rechtspolitischen Anweisungen im Stile verbindlicher Mustergesetze als ›Herr der Verfassung‹ und ›Herrscher der Verfassten‹ hervor? ... Diese fortschreitende Entmächtigung des Parlaments scheint mir nicht die Krönung des Rechtsstaats zu sein.«[67]

Die Klage (in der Regel der Verlierer), das Bundesverfassungsgericht überschreite seine Befugnisse, treibe Politik, verletze die Regeln der Gewaltenteilung, ist bis heute nicht abgerissen. Aber ist es nicht womöglich die Gewaltenteilungslehre selbst und ihre Angemessenheit im 20. und 21. Jahrhundert, die »Anlass zu ernster Sorge« geben?[68] Angetreten war die Lehre im – vordemokratischen – 18. Jahrhundert, um »Willkür« zu verhindern, und zwar durch die Verteilung von Macht und Funktionen auf die Stände.[69] Im modernen demokratischen Staat ist Macht, nach Wegfall der Stände, allein auf die Funktionen der Exekutive, Legislative und Judikative verteilt. »Macht«, das heißt mit gutem Grund: »die Möglichkeit, durch eigene Entscheidung für andere eine Alternative auszuwählen, für andere Komplexität zu reduzieren.«[70] Solche Macht allerdings pflegt sich

67 Holger Börner, damaliger hessischer Ministerpräsident, zum Wehr- und Ersatzdiensturteil, Frankfurter Rundschau vom 30. 5. 1978, zitiert nach Häußler (Anm. 59), S. 71.

68 Siehe schon die grundlegende Umorientierung bei Niklas Luhmann: *Politische Theorie im Wohlfahrtsstaat*. München, Wien 1981. Eine neue, legitimationstheoretisch geleitete, an ihren Funktionen und je spezifischen Mechanismen der Rechtserzeugung orientierte Lehre von den Gewalten hat nun vorgelegt: Christoph Möllers: *Gewaltengliederung. Legitimation und Dogmatik im nationalen und internationalen Rechtsvergleich*. Tübingen 2005.

69 Ernst-Wolfgang Böckenförde: *Gesetz und gesetzgebende Gewalt*, 2. Auflage. Berlin 1981.

70 Niklas Luhmann: *Soziologie des politischen Systems*, in: *Soziologische Aufklärung* Bd. 1, 4. Auflage. Opladen 1974, S. 154–177 (S. 162).

nicht an die Regeln der »Gewaltenteilung« zu halten, sondern wird allerorts ausgeübt, in der Parteipolitik, die eine bestimmte Steuerpolitik in den eigenen Reihen durchsetzt, in der Regierung, die Steuerhinterziehung zu bekämpfen verkündet, im Gesetz, das Steuerhinterziehung verbietet, im Steuerbescheid, der Zahlung verlangt, in der richterlichen Entscheidung, die den Steuerbescheid aufhebt, im Votum der Wähler, das die Komplexität, mit der sich ein Steuern hinterziehender Politiker womöglich konfrontiert sieht, schnell zu reduzieren in der Lage ist. Allgegenwärtige Macht reduziert sich nicht, indem sie verteilt wird, kontrolliert sich nicht, sondern konkurrenziert sich, minimiert sich nicht und verschwindet schon gar nicht in ihrer Teilung, sondern reproduziert und multipliziert sich eben durch diese.

Macht dem Recht zu unterwerfen, war zweifellos ein Durchbruch gegenüber »absolutistischer Willkür«, eine Errungenschaft, welche das Staatstheoretiker und Staatsphilosophen seit je beunruhigende Problem der »unvermeidlichen und unakzeptablen Beliebigkeit der Höchstentscheidung«[71] wenn nicht zu lösen, so doch zu verschieben versprach. Dass es eine solche »Höchstentscheidung« (die dann natürlich beliebig ist) überhaupt gibt, ist allerdings in der hochkomplexen Gesellschaft des 20./21. Jahrhunderts immer unwahrscheinlicher geworden. Eine Gesellschaft ohne Zentrum und Spitze, aber mit wachsenden Ansprüchen an Vorsorge, Fürsorge und Versorgung, an Freiheit und Fesselung von Freiheit, an Sicherheit und Versicherung kann ihren schier unendlichen Entscheidungshunger ohne-

---

71 Niklas Luhmann: *Die Politik der Gesellschaft*, hg. von A. Kieserling. Frankfurt am Main 2000, S. 33.

hin nicht mehr an *einer* Macht sättigen. Und deshalb ist auch *der* »Hüter der Verfassung« oder *der* »Herr der Verfassung« in einer fragmentierten, kopflosen Gesellschaft ein Mythos, mit dem sich die Staatstheorie und die politisch interessierte Öffentlichkeit das Machtparadox anhaltend, selbstquälerisch, empört oder verzückt, vor Augen führen.

Beobachten lassen sich hingegen die Institutionen und Funktionsbedingungen, welche Entscheidungen und damit »Macht« in der Gesellschaft strukturieren und konditionieren:[72] Die schwer kalkulierbaren, durch Rituale wie Abstimmungen und Wahlen disziplinierten Entscheidungen des Publikums, die zweckorientierten, routiniert-professionellen, »rationalen« der Verwaltung, die opportunistisch-dilettantischen, unter Zeitdruck stehenden der Regierung,[73] die Konsens heischenden, auf Mehrheiten codierten der Parlamente, die auf Wahlerfolge und Mitgliederzuwachs zielenden der Parteien, die programmgeleiteten, aber nur auf Anfrage bereitgestellten Funktionen und Entscheidungen der Gerichte. Dann mag es als Versagen der Parteien, des Parlaments, der Regierung oder des Wahlvolks erscheinen, wenn sie, statt nach ihren eigenen Logiken und Codierungen zu verfahren und ihre je eigene Macht in bindenden Entscheidungen zu offenbaren, die Entscheidung eines Gerichts provozieren. Was Opportunität, Konsens, Mehrheiten, Routine, Publikumsbeifall oder Parteidisziplin

---

72 Eben dies tut Möllers (Anm. 68), wenn er die Gewaltenteilungslehre als »eine frühe Form prozeduraler politischer Theorie« (S. 79) bezeichnet und die einzelnen »Gewalten« auf ihr Potential der Rechtserzeugung hin beobachtet. Er verfährt allerdings in rein verfassungstheoretischer und verfassungsdogmatischer Absicht, d. h. ohne die soziologischen Rahmenbedingungen (wie Zeitdruck, Opportunismuszwang, Routineverhalten etc.) einzubeziehen.

73 Hans D. Jarass: *Politik und Bürokratie als Elemente der Gewaltenteilung*. München 1975.

nicht schaffen, das schiebt man der an den Programmen der Gesetze, einschließlich der Verfassung, orientierten Justiz zu. Das – notabene: nur auf Bestellung erklingende – Lied der Justiz zum Gesetz ersetzt dann das Unvermögen des chaotischen Chors. Ein Gewaltenteilungsskandal ist das sicherlich nicht, und »Verletzung der Gewaltenteilung« ist auch nicht die adäquate Diagnose, wenn schließlich ein Gericht das Gesetz vernichtet. Was anderes tun denn alltäglich »ordentliche« Gerichte, als das Gesetz aus der ihm eigenen Dunkelheit zu befreien, ihm durch ihre Kommunikation zur Realität zu verhelfen – was regelmäßig mit der Vernichtung früherer Kommunikationen und also mit kleinen Todesfällen des Gesetzes einher geht?

Nimmt umgekehrt jemand der Justiz die Arbeit vorsorglich ab, so ist das Gewaltenteilungsgeschrei ebenfalls groß. »Bei jedem Gesetz, das das Bundesverfassungsgericht später aufhebt, hat der Bundespräsident zuvor nicht richtig geprüft.«[74] Prüft er jedoch etwas genauer – was bislang in der Bundesrepublik selten geschehen war[75] –, so erntet er auch keinen Dank. Das delikate Gewaltenteilungsmuster gerate aus dem Gleichgewicht, insbesondere werde »das höchste Gericht in der Ausübung seiner Aufgabe gehindert.«[76] Mancher behauptet sogar, der Bundespräsident sei deshalb ein »echter Unsicherheitsfaktor in diesem Land,«[77]

---

74 Friedrich Schoch, Vorsitzender der Deutschen Staatsrechtslehrer Vereinigung. Zitat in: Christian Rath: *Staatsrechtler nimmt Köhler in Schutz*, taz vom 19. 12. 2006.

75 Vor der Präsidentschaft von Horst Köhler ganze sechs Mal.

76 Norbert Röttgen, Parlamentarischer Geschäftsführer der Unionsfraktion, in: Sebastian Fischer: *Zupacken, angreifen, dazwischengrätschen*, Spiegel Online vom 14. 12. 2006.

77 Frankfurter Allgemeine Sonntagszeitung vom 17. 12. 2006.

man müsse ihn stoppen, womöglich sogar verklagen – just vor dem Gericht, das an »der Ausübung seiner Aufgabe gehindert« wird.[78] Das wüste Gerangel der Gewalten und der Gewaltenkritiker hält an. Und niemand ist in Sicht, der ihm – wie anders als durch eine Höchstentscheidung? – Einhalt gebietet. Niemand?

> Diese Flugzeuge
> Zwischen Boston und Düsseldorf.
> Entscheidungen aussprechen
> ist Sache der Nilpferde.
> Ich ziehe vor, Salatblätter auf ein
> Sandwich zu legen und
> unrecht zu behalten.

Doch das ist die salatblattleichte Präferenz eines Dichters, der sich Zeit seines Lebens »von der Sehnsucht nach dem Lied in allen Dingen« tragen ließ.[79] Die Nilpferde auf Erden, Gesetzgeber, Richter, Professorinnen, Präsidenten, müssen sagen, was das Gesetz sagt, müssen entscheiden, ob es Recht oder Unrecht sagt, auch und gerade dann, wenn sie es nicht sagen können oder dürfen.

Auch Präsident George W. Bush muss entscheiden. Am 2. Januar 2006 hat er das Gesetz H.R. 2863 unterzeichnet. Er beschränkt seine Tätigkeit nicht auf die Unterschrift, sondern nutzt die Gelegenheit für ein *signing statement*,[80] eine Erklärung, wie er das Gesetz verstehe und seinem Ver-

---

78 Der Tagesspiegel vom 19. 12. 2006 (mit einem Dementi des Bundesjustizministeriums).

79 Günter Eich: *Timetable*, in: *Anlässe und Steingärten* (1966), *Sämtliche Gedichte*, hg. von Jörg Drews. Frankfurt am Main 2006, S. 242. Kommentar von Iris Radisch: *Man sollte gleich später leben. Zum 100. Geburtstag des bedeutendsten Dichters der deutschen Nachkriegsliteratur*, in: Die Zeit v. 1. Februar 2007, S. 51.

80 Ich danke herzlich Klaus Günther, der mir den ersten Hinweis auf dieses Phänomen gab.

James Lee Byars, Two Presidents, ca. 1974

ständnis entsprechend anwenden werde. Das lautet dann etwa folgendermaßen: »Die Exekutive soll Titel X bezüglich der Häftlinge in einer Weise konstruieren (*construe*), die der verfassungsmäßigen Autorität des Präsidenten und seiner Stellung als Oberbefehlshaber der Armee entspricht.« Sie soll »unter Beachtung der verfassungsmäßigen Grenzen der Judikative« das Gesetz so auslegen, dass das in Titel X dokumentierte gemeinsame Anliegen des Kongresses und des Präsidenten verwirklicht wird, nämlich »das amerikanische Volk vor zukünftigen terroristischen Anschlägen zu schützen.« Sie soll schließlich Titel X so konstruieren, dass Einzelne daraus kein Klagerecht erwerben. Der Chef der Exekutive erklärt damit, dass er das Gesetz nur insoweit umzusetzen bereit ist, als seine exekutiven Befugnisse nicht behindert werden, und belehrt zugleich die Judikative über ihre Grenzen.

Umgehend, am 4. Januar 2006, warnt Charlie Savage in The Boston Globe, dass Bushs *signing statement* das McCain-Amendment aus den Angeln heben werde. Am 13. Januar 2006 setzt John W. Dean, ehemaliger Berater des Präsidenten, nach, protestiert öffentlich gegen die Praxis der *signing statements*. Am 30. April 2006 lanciert Charlie Savage einen weiteren Artikel in The Boston Globe, der eine heftige, bis heute – aber was heißt schon »heute«?[81] – anhaltende öffentliche Debatte auslöst: »Bush challenges

---

81 Unter den im Dezember 2006 konsultierten einschlägigen Internetseiten meldet eine: »Warning: This information may change rapidly as the event is in progress.« Eine andere konterkariert sich selbst durch den Hinweis: »This article is much disputed.« Es sei deshalb nur auf die wichtigsten Adressen zu *signing statements* hingewiesen ohne Gewähr, dass diese zur Zeit der Leserin oder des Lesers noch vorhanden sind. Zur ABA: https://www.abanet.org/op/signingstatements/; Kommentare unter http://writ.news.findlaw.com, von dort (und von http://en.wikipedia.org) auch Links zum Text des McCain-Amendment sowie zum Urteil des Supreme Court Hamdan vs. Rumsfeld vom 29. Juni 2006.

hundreds of laws«. Statt Gesetze, die seiner Meinung nach verfassungswidrig sind, an den Kongress zurückzuleiten und damit das Risiko einzugehen, vom Kongress mit Zweidrittelmehrheit überstimmt zu werden,[82] unterzeichnet Bush *alle* Gesetze, um im anschließenden *signing statement* zu erklären, dass die Exekutive sie nicht bzw. allein in der präsidialen Interpretation befolgen werde. Die über 400.000 Juristen zählende American Bar Association (ABA) wird wach und ist *not amused.* Sie bildet eine »Task force«, welche sorgfältig die Geschichte der *signing statements* rekonstruiert. In den ersten 70 Jahren der amerikanischen Verfassung, die solche Erklärungen weder erlaubt noch verbietet, fühlte sich kein Präsident veranlasst, seiner Unterschrift einen Kommentar hinzuzufügen. Im Verlauf des 19. Jahrhunderts tauchten *signing statements* höchst vereinzelt auf, verschwanden wieder über Dekaden, um erst in der Ära Ronald Reagan populär zu werden. Brachte dieser es in zwei Amtszeiten auf immerhin 71 *statements*, so übertrumpfte ihn Präsident Bush I in vier Jahren mit 232 Stück, während Präsident Clinton mit 105 Erklärungen Zurückhaltung übte. Und nun Bush II: Über 800 *signing statements* in gut sechs Jahren seiner Regierung. Die ABA legte am 7./8. August 2006 ihren umfangreichen Bericht und Empfehlungen vor. Die *signing statements* des Präsidenten gefährdeten die Prinzipien der Gewaltenteilung und des Rechtsstaats. »The Constitution is not what the President says it is.«

Dieser Meinung war auch Salim Ahmed Hamdan, jemenitischer Staatsbürger, gefangen genommen in Afghanistan, nach Guantanamo Bay verbracht, wo er wegen Ver-

---

82 Art. 1 § 7 der Verfassung der Vereinigten Staaten.

44

dachts auf terroristische Konspiration vor einer *military commission* angeklagt werden sollte. Hamdan brachte eine Habeas corpus-Klage ein und gelangte bis an den Supreme Court of the United States. Dort brach ein Streit zwischen den acht Richtern aus. Die einen argumentierten, der Präsident könne nicht am Kongress und am McCain-Amendment von 2005 vorbei und unter Verletzung der Genfer Konvention nach seinem Gutdünken Pseudo-Gerichte einrichten und den Supreme Court ausschalten.[83] »The Constitution places its faith in those democratic means. Our Court today simply does the same.« Die anderen vertraten den Standpunkt, der Kongress habe den Präsidenten ermächtigt, alle Maßnahmen gegen künftige terroristische Akte zu ergreifen, und beklagten, dass die *signing statements* des Präsidenten nicht ausreichend beachtet würden. Der Fall Hamdan v. Rumsfeld wurde am 29. Juni 2006 beendet – mit einer 5 : 3 Entscheidung zugunsten von Hamdan. Die Presse feierte den Sieg des Rechtsstaats und des Völkerrechts.

Bush ist nicht beeindruckt, weder von der American Bar Association noch von der Presse und auch nicht vom höchsten Gericht der USA. *Signing statements* sind sein tägliches Geschäft. Am 17. August 2006 weist er die Exekutive an, den »Pension Protection Act« nach seiner Meinung zu interpretieren, am 29. September 2006 kommentiert und korrigiert er den »Department of Defense Appropriations

---

83 Der Detainee Treatment Act schließt in Section 1005 (e) (1) unter bestimmten Umständen Habeas corpus-Klagen aus und etabliert eine exklusive Gerichtsbarkeit des United States Court of Appeals for the District of Columbia Circuit. Section 1005 (h) (2) ordnet an, dass Section 1005 (e) (2) und (3) auf hängige Fälle Anwendung finde. 1005 (e) (1) ist nicht erwähnt, was die Mehrheit des Supreme Court als qualifiziertes Schweigen wertete. Der Einsetzung einer *military commission* und der Ausschluss des Rechtsweges an die ordentliche Gerichtsbarkeit verstoße deshalb sowohl gegen die Genfer Konvention wie gegen den Uniform Code of Military Justice.

Act«, am 4. Oktober 2006 den »Department of Homeland Security Appropriations Act«, am 12. Oktober 2006 den »Rio Grande Natural Area Act«, am 13. Oktober 2006 den »Security and Accountability For Every Port Act«, am 17. Oktober 2006 den »John Warner National Defense Authorization Act« … Ein rastloser Gesetzesinterpret ist am Werk. »The executive branch shall construe this provision in a manner consistent with the President's exclusive constitutional authority …« ist die Standardformel. Nicht mehr der Gesetzgeber selbst, auch nicht die Justiz, sondern der Chef der Exekutive singt nun das Lied zum Gesetz, ein schräges, aber machtvolles Lied.

Der Präsident ist ein professioneller Solist. Was soll er tun, wenn man ihm das Singen verbietet? Die American Bar Association (ABA) bietet ihm an, er dürfe eine Hymne auf das Gesetz singen: »It is entirely appropriate for the President to praise a bill as a landmark in civil rights or environmental law and applaud its legislative sponsors«.[84] Der Präsident der Vereinigten Staaten als Claqueur? Wenn der Präsident das Singen schon nicht lassen könne, so müsse er, meint die ABA, dies zumindest öffentlich und nicht allein für seine Behörden tun. Ein Gesetz sei nötig, damit der Kongress und die Öffentlichkeit informiert seien, was der Präsident da anordne.[85] Und was ist, wenn der Präsident zu diesem Gesetz klammheimlich ein *signing statement* verfasst, das seinen Behörden das Schweigen befiehlt? Und hinkt ein solches Gesetz nicht ohnehin dem *open access* aller Informationen nach? Joyce A. Green aus Oklahoma City

---

84 Task Force Report III C. (S. 21).

85 Legislation Is Needed To Ensure That Congress And The Public Are Fully Informed About The Use Of Presidential Signing Statements III D. (S. 24).

hat längst eine Website eingerichtet »to provide free convenient access – for the entire world – to the text of George W. Bush's presidential signing statements.« Sie funktioniert vorzüglich.[86] Ein *Gesetz* sei schließlich erforderlich, das die gerichtliche Überprüfung von *signing statements* erlaube.[87] Und das, so meint wohl die ABA, ein *signing statement* zum Gesetz über die gerichtliche Kontrolle von *signing statements* verbietet.

Die Falle der Gewaltenteilungslehre schnappt ein weiteres Mal zu. Ob die letzten Lieder zum Gesetz von Seiten der Justiz oder von Seiten des Präsidenten ertönen – es sind nur zwei Seiten desselben Dauerproblems, wem denn das letzte Wort gebührt, zu singen, was das Gesetz sagt. Da diese Frage seit Jahrhunderten keine endgültige Antwort erhielt – eine solche könnte ja nur erteilen, wem das letzte Wort gebührt –, lohnt es sich allein, einen Blick darauf zu werfen, welche Lieder am ehesten mit dem Adressaten, *in casu* der Exekutive oder der Bürokratie, harmonieren. Präsidial-politische Macht hat, anders als die justizielle, die Eigenart, rasche, opportunistische, dilettantische, symbolträchtige, Applaus generierende, Ansehen erhöhende Entscheidungen zu treffen. Und solche Macht wird ungefiltert auf die Macht der Bürokratie übertragen, obwohl deren Entscheidungen, ähnlich denen der Justiz, auf Professionalität, Routine, Erwartungsstabilisierung, Regelmäßigkeit, Beständigkeit verpflichtet sind.[88] Und wenn dies passiert,

---

86 http://www.coherentbabble.com/signingstatements/about.htm.

87 Legislation Is Needed To Provide For Judicial Review Of Presidential Signing Statements In Appropriate Cases III E. (S. 25).

88 Jarass (Anm. 73) und Klaus P. Japp: *Verwaltung und Rationalität*, in: Klaus Dammann, Dieter Grunow, Klaus P. Japp (Hg.): *Die Verwaltung des politischen Systems*. Opladen 1994, S. 126 ff.

wenn also zwei grundverschiedene Tonarten aufeinander treffen, was passiert dann? Wie leicht zu irritieren oder wie stabil sind eigentlich die Autopoiesis einer Verwaltung und die ihr eigene Rationalität? Den programmgeleiteten Entscheidungen der Justiz mag eine selbst auf Programme verpflichtete Bürokratie sich wohl anschmiegen. Aber wie soll sie ihre eigene Gesetzesbindung, die auf Redundanz des Entscheidungshandelns drängt, mit politischer Befehlsgewalt, die Varietät eben dieses Handelns verlangt, vereinbaren? Und welche Strukturen werden sich dann aus der kommunikativen und funktionalen Schlacht zweier unterschiedlich codierter Systeme, der Politik und der Verwaltung, herausbilden? Sicherlich nicht die, die dem Baron de la Brède et de Montesquieu vorschwebten.

Der Klage, die *signing statements* seien »a grave threat to our constitutional system of checks and balances«,[89] geht es denn offenbar auch nicht darum, den Chef der Regierung zum Schweigen zu bringen, dem »mächtigsten Mann der Welt« die ihm eigene Macht zu versagen, ihn zum Knecht in gesetzesfesten Räumen zu degradieren, ihn, kurz gesagt, aus dem politischen System zu verstoßen. Die Kritik entflammt sich vielmehr an der rüden Arroganz, mit welcher der Präsident seinen – im Prinzip unbestrittenen – Anspruch auf das Regieren[90] geltend macht, an seiner kaltschnäuzigen

---

89 ABA Report I (S. 3).

90 Deutlich gestärkt wird dieser Anspruch mit den vereinten Kräften der Politik und der Staatslehre zum Beispiel im Fall der *agencies*. Es herrscht breite Zustimmung, dass die vom Kongress eingesetzten unabhängigen und mächtigen *agencies* (z. B. in der Umwelt-, der Gesundheits-, der Atompolitik) der Kontrolle des Präsidenten zu unterstellen seien. Nur durch dessen *executive orders* (d. h. eine weniger feierliche Form von *signing statements*) sei das Prinzip der *checks and balances* gewahrt und für *coordination, accountability and efficiency* gesorgt. Lawrence Lessig, Cass R. Sunstein: *The President and the Administration*, in: Columbia Law Review 94 (1994) S. 1–123.

Weigerung, »to work cooperatively with Congress«,[91] und an der Pietätlosigkeit, mit der er das altehrwürdige Prinzip der *checks and balances* ignoriert. Es ist ein garstiges Lied zum Gesetz, welches der Präsident singt. Hört! Ich verkündige euch, was das Gesetz sagt. Schlimmer noch: Hört! Gewaltenteilung ist nur eine kränkelnde Selbstbeschreibung des politischen Systems, ist eine Flunkerei, die notdürftig und erfolglos verdeckt, dass Macht *in actu* nicht teilbar ist, dass Macht nur mit Macht konkurriert und dass es im alltäglichen Ernstfall der Präsident ist, der die »unvermeidliche und unakzeptable Beliebigkeit der Höchstentscheidung« repräsentiert. Man könnte sich damit begnügen, eine solche Offenbarung des Dilemmas als ungeschlachten politischen Stil zu verachten – hätte der Stil nicht fatale Folgen, in Guantanamo Bay und anderswo. Nicht begnügen sollte man sich damit, die skandalöse Verletzung des Gewaltenteilungsprinzips anzuprangern, eines Prinzips, das unter dem dringenden Verdacht steht, inzwischen marode, wenn nicht schon moribund zu sein.

Ängstlich bemüht, der Persönlichkeit des amtierenden Präsidenten nicht zu nahe zu treten, griff die ABA in ihrer Kritik der *signing statements* zu einem Argument, das Hoffnung aufkeimen lässt: »His term will come to an end and he will be replaced by another President, who will, in turn, be succeeded by yet another.«[92] Auf der Kandidatenliste steht zur Zeit Senator John McCain – der Urheber des Amendment und damit der Spitzenkandidat für ein sehr altes Lied zum Gesetz: die authentische Interpretation von Titel X des Gesetzes H.R. 2863.

---

91 ABA Report III B. (S. 21).
92 ABA Report I (S. 5).

Joseph Beuys, Das Ende des 20. Jahrhunderts, 1983

3. Das Lied als Gesetz

Vor dem Kollegium der Pontifices, der religiös-politischen Elite Roms, steht ein sichtlich empörter, aufgewühlter Mann. Er hält eine leidenschaftliche, recht konfuse, ausschweifende, nicht enden wollende Rede. Schlimmes sei ihm widerfahren: Der Volkstribun Publius Clodius Pulcher, dieser verrückte und blindwütige Mensch, habe keine üble Machenschaft gescheut, um ihm Schaden und Pein zuzufügen, habe ihn aus nackter Bösartigkeit in die Verbannung getrieben und sein prächtiges Haus auf dem Palatin konfisziert. Dann habe dieses verkommene Subjekt es sogar gewagt, einen Teil des Grundstücks der Göttin Libertas zu weihen – eine besondere Perfidie! Denn für immer und ewig, wie die Göttin selbst ist, schien der Besitz nun verloren. Das traf den Redner hart. Hatte er das stattliche und standesgemäße Haus doch erst vor kurzem, nach Jahrzehnten der Entbehrung und Bescheidenheit, erworben und noch nicht einmal ganz abbezahlt. Zwar, fährt er fort, hätten Senat und Volk von Rom ihn schließlich aus dem Exil zurückgerufen und ihm auch sein Haus restituiert – wofür er sich schon angemessen bedankt habe.[93] Aber da gab es noch Libertas. Sollte er nun etwa mit der Göttin zusammenwohnen? Die unerwünschte Hausgenossin loszuwerden, das konnte nur mit Hilfe der Pontifices gelingen. Diese möchten – der Redner ist endlich bei seinem Begehren angelangt – doch bitte ein Gutachten erstellen, das die

---

93 Mit den Reden »Post reditum in senatu« und »Post reditum ad populum«.

Dedikation des Hauses an die Göttin für null und nichtig erkläre, so dass, im rechten Licht betrachtet, Libertas nie eingezogen war.

Marcus Tullius Cicero kämpft am 29. September des Jahres 57 v. Chr. mit allen Kräften um sein – von der Last der Gottheit freies – Haus: Pro domo sua.[94] Clodius, so fügt er in seinem Zorn hinzu, habe sein Ziel überhaupt nur erreicht, weil er entgegen allem Herkommen ein spezielles Gesetz gegen ihn, Cicero, erlassen hatte.[95] Das sei der Gipfel an Unverfrorenheit. Denn: »Es verbieten die Sakralgesetze, es verbieten die Zwölf Tafeln, gegen einzelne Personen Gesetze einzubringen: Das nämlich heißt ›Sondergesetz‹ – *id est enim privilegium.*«[96] Die Pontifices waren beeindruckt, wohl nicht zuletzt von der Autorität der uralten Sakralgesetze und der ebenso alten Zwölf Tafeln. Jedenfalls lebte Cicero noch viele Jahre in seinem Haus, ohne göttliche Gesellschaft.

Ein Jahr später, 56 v. Chr., kommt Cicero auf sein erfolgreiches Argument zurück. Eigentlich verteidigt er sei-

---

94 Manfred Fuhrmann (Hg.): *Marcus Tullius Cicero, Die Prozessreden*, Bd. 2. Zürich 1997. Umfassend zu Ciceros Rede Wilfried Stroh: *De Domo Sua: Legal Problem and Structure*, in: Jonathan Powell, Jeremy Paterson (Hg.): *Cicero. The Advocate*. Oxford 2004, S. 313–370. Knapp und erhellend nun Stephanie Kurczyk: *Cicero und die Inszenierung der eigenen Vergangenheit. Autobiographisches Schreiben in der Späten Römischen Republik*. Köln, Weimar, Wien 2006, S. 219 ff.

95 Die sog. Lex Clodia de exilio Ciceronis.

96 Entgegen dem späteren und heutigen Sprachgebrauch bedeutet *privilegium* bei Cicero ein Sondergesetz *zu Lasten* des Betroffenen. *Pro domo sua* 3, 26 und 43. Einen ersten Hinweis auf *privilegium* (noch ohne Bezug zu den Zwölf Tafeln) gibt Cicero ein Jahr zuvor in einem Brief an seinen Freund Atticus, in dem er sich aus dem Exil über sein Schicksal beklagt. *Ad Att. ep.* 60. 5 (3.15, 17. August 58): Quod te cum Culleone scribis de privilegio locutum, est aliquid, sed multo est melius abrogari: »Du schreibst, dass du mit Culleo über das *privilegium* [das ihn, Cicero, in die Verbannung trieb] gesprochen hast. Das ist (immerhin) etwas; aber viel besser wäre es, wenn es aufgehoben würde.«

nen Freund Sestius, der wegen Gewalttätigkeit im Amt angeklagt war.[97] Doch das ist Routine für den erfahrenen Gerichtsredner Cicero. Große Teile des Plädoyers nutzt er deshalb für eine geschickte Autoapologie – und penetrante Autoapotheose. Mit unverminderter Empörung über die ihm widerfahrene Schmach, die Verbannung, wirft er seinen damaligen Kollegen, den Konsuln, feige Untätigkeit vor. Sie hätten im Jahr 58 v. Chr. nicht einmal gegen das »Sondergesetz« des Clodius protestiert, obwohl doch schon die Sakralgesetze und die Zwölf Tafeln bestimmten: *ne cui privilegium inrogari liceret.*[98]

Dann das staatsrechtliche Meisterwerk: *De legibus*, geschrieben 52/51 v. Chr. Cicero entwirft die gute Ordnung der römischen Magistratur und erlässt dafür fiktive Gesetze über die Rechte und Pflichten der Beamten. Eines dieser Gesetze verbietet Sondergesetze.[99] Dieses Verbot sei aber, so versichert Cicero, keineswegs seine Erfindung. Vielmehr hätten schon die Zwölf Tafeln *privilegia* untersagt. Zwar habe es damals, im 5. Jahrhundert v. Chr., noch keine aufrührerischen Volkstribunen gegeben – gemeint ist: von der Sorte des Clodius. Umso mehr müsse man die *maiores* bewundern, dass sie solche vorausgesehen und prophylaktisch Sondergesetze verboten hätten.

Bewundernswert ist das Wissen des Cicero von den Zwölf Tafeln, jenen Tafeln der Gesetze, die um 450 v. Chr. angefertigt wurden, 60 Jahre später untergingen und die kein Römer je sah. Auch Cicero nicht. Doch er kennt nicht nur den Satz vom *privilegium*, sondern manch andere Be-

---

97 *Pro Sestio.* Kurczyk (Anm. 94), S. 230 ff.

98 *Pro Sestio* 65.

99 *De leg.* 3.44.

stimmung jenes Gesetzes, das er erstmals in seiner Rede für M. Tullius im Jahr 72/71 v. Chr.[100] zitiert. Für viele Jahre schweigt er dann vom Zwölf Tafeln-Gesetz, auf das er erst in *Pro domo sua* zurückkommt, um in den folgenden Reden und Schriften immer häufiger darauf zu verweisen.[101] Im Gegensatz zu anderen Autoren, Juristen, Literaten, Historikern, Antiquaren, die im Verlauf der Jahrhunderte dies und das, Bruchstücke oder Wörter, ganze oder halbe Sätze, aus den Zwölf Tafeln mitteilen, informiert Cicero seine Leser, woher er seine Kenntnis hat: Er habe die Gesetze der Zwölf Tafeln einst als Schuljunge auswendig gelernt, und zwar als ein *carmen necessarium* – als »unentbehrliches Lied«.[102]

Hat Cicero das Gesetz in der Schule gesungen? So wie von den alten Griechen berichtet wird, dass sie ihre Gesetze zu singen pflegten?[103] Oder hat er sie in Versform gelernt? Was bedeutet carmen bei Cicero? In seiner Schrift über die Weissagung zitiert Cicero ein Gedicht:

saepe etiam pertriste canit de pectore carmen
et matutinis acredula vocibus instat.

---

100 *Pro Tullio* 47, 50, 51, wo er drei von den Römern vielzitierte Sätze der Zwölf Tafeln anführt: (1) dass es erlaubt ist, einen Dieb bei Nacht zu töten, (2) dass man im Falle eines Diebs bei Tage, wenn er sich widersetzt, das »Gerüft« (»endoplorato«) erheben muss, und schließlich (3) den berühmten Topos: si telum manu fugit magis quam iecit …: wenn das Geschoss eher seiner Hand entfloh, als dass er es warf … Die drei Sätze finden sich heute auf Tafeln VIII 12, 13, 24a (nach der Ausgabe von Rudolf Düll, unten Anm. 118).

101 *De oratore* (a. 55) 1.167, 3.158; *De re publica* (a. 54–51) 2.54, 2.61, 4.12; *Pro Milone* (a. 52) 9; *Tusculanae disputationes* (a. 45) 3.11, 4.4; *Philippicae orationes* (a. 44–43) 2.69; *De officiis* (a. 44–43) 1.37, 3.61, 3.65, 3.111

102 *De leg.* 2.59: Discebamus enim pueri XII ut carmen necessarium, quas iam nemo discit.

103 Siehe dazu unten Kap. 5.

»Häufig singt auch aus voller Brust ein tieftrauriges Lied
die Acredula und lässt nicht nach mit morgendlichem Rufen.«[104]

Carmen canere – ein Lied singen –, diese Begabung hat die Natur der Nachtigall, der Acredula[105] und anderen Singvögeln geschenkt. Zuweilen auch den Menschen. *Carmina*, klangvolle Verse, haben, wie Cicero weiß, vor allem die großen Griechen, Sophokles, Euripides und andere, verfasst.[106] Typisch – geradezu die Losung – aber ist das Begriffspaar *carmen et cantus* für die Pythagoreer, jene alte griechische philosophische Schule, die sich in Süditalien niedergelassen hatte.[107] Cicero, der seine Neigung zu deren Lehren und Leben nicht verhehlt, berichtet, dass sie ihre Regeln und Normen durch *carmina* zu tradieren pflegten und den *cantus* zur Meditation nutzten.[108] Ist doch »unserem natürlichen Empfinden nichts so verwandt wie Rhythmen und Klänge«, die ihre höchste Kraft (*summa vis*) in Liedern und Gesängen (*carminibus et cantibus*) entfalten.[109] Die weisen Pythagoreer wussten um diese Überlegenheit der Musik, des Lieds, der Verse, des Gesangs gegenüber dem toten Buchstaben und der tonlosen Sprache.

Sprache, die lebendige, wohltönende, fein gesetzte Sprache, allerdings ist Ciceros Beruf und Leidenschaft.

---

104 Cicero: *De divinatione* (a. 44) 1.14.

105 Was für ein Tier die *acredula* bezeichnet (die Lexika bieten Käuzchen oder Grille an), weiß man nicht; jedenfalls handelt es sich um ein Tier mit durchdringender oder sogar kreischender (*acer*) Stimme.

106 Z. B. Cicero: *Tusc.* 3.59; *De fin.* 5.3; *De senect.* 22.

107 Christoph Riedweg: *Pythagoras. Leben, Lehre, Nachwirkung.* München 2002.

108 *Tusc.* 4.2–4.

109 *De or.* 3.197.

Und so räsoniert er, ob die – ob seine – eloquente Rede nicht doch wichtiger und wertvoller sei als jedes Lied, und schließt, wie nicht anders zu erwarten, mit einem Lob der Rhetorik: »Wer kann einen süßeren Gesang (*cantus*) komponieren? Ist irgendein Lied (*carmen*) besser als die kunstvolle Satzfolge in Prosa?«[110]

Doch ist die rhetorisch ausgefeilte Rede nicht nur den geschätzten *carmina* der Pythagoreer überlegen. Sie beansprucht auch den Primat gegenüber der Rechtswissenschaft. Deren Kenntnis, gibt Cicero zu, mag zuweilen nützlich sein, doch der Gerichtsprozess ist nicht Sache des Juristen, sondern die Stunde des Redners, des brillanten Redners, der auch ohne alle Rechtskenntnis jeden Prozess »mit allem Glanz« zu führen imstande ist,[111] der »den Zugang zu den Menschenherzen« findet,[112] der »durch beißenden, geistvollen und geschliffenen Witz und Humor« die Richterstimmen gewinnt,[113] der »alle Steine dazu bringt, zu weinen und zu klagen«, so dass sogar ein Satz aus den Zwölf Tafeln – notabene – den »Zwölf Tafeln, die du höher schätzt als ganze Bibliotheken«, nur noch als ein *carmen magistri*, als »Lied eines Lehrers«, erscheine.[114] Gegenüber der Brillanz der Gerichtsrede eines Cicero verblasst das Gesetz der Zwölf Tafeln zum banalen Merkvers eines Paukers.[115]

110 *De or.* 2.34.

111 *De or.* 1.238.

112 *De or.* 1.222.

113 *De or.* 1.243.

114 *De or.* 1.245: totum illud, »uti lingua nuncupassit«, non in Duodecim Tabulis, quas tu omnibus bibliothecis anteponis, sed in magistri carmine scriptum videretur.

115 So, zu Recht, die Übersetzung von Harald Merklin, 5. Auflage. Stuttgart 2003 (»Merkvers eines Lehrers«), abschätziger noch und ein wenig überzogen die Übersetzung von E. W. Sutton, Cambridge MA, London (Loeb) 1988: »a piece of moralizing diggerel by some professor«.

Wenn Cicero drei Jahre später, in *De legibus,* erzählt, er habe als Schulknabe den Text der Zwölf Tafeln als *carmen necessarium* gelernt, so ist dies ebenso ironisch wie konsequent: Merkverse im Stil der Oberlehrer gehören in die Schule, wo sie ihr unumgängliches, unausweichliches (*necessarium*) Dasein im Lehrplan fristen.

Haushoch triumphiert, das ist die Botschaft des Cicero, die Rhetorik über das Gesetz. Es ist die Rede vor Gericht, die sich des Gesetzes bedient und nicht etwa umgekehrt dem Gesetz dient. Weshalb die Rhetorik sagt, was das Gesetz ist – ein Merkvers oder ein Argument. Weshalb die Rhetorik verkünden und verkaufen kann, was als Gesetz gilt. Ein nützliches Gesetz aus den Zwölf Tafeln hat Cicero in *Pro domo sua* bei der Hand, das er gern noch einmal in *Pro Sestio* einsetzt. Ein Jahr später, in *De oratore,* stellt er klar, dass ein solches Gesetz nur ein stupider Lehrerspruch ist, von der Sorte – wie ihm dann in *De legibus* einfällt –, die er selbst in der Schule auswendig lernte. Weil er dies getan hat, kann er das *carmen* gut – und glaubwürdig wie jedes sichere Schulwissen – für seine Reden gebrauchen. Die Rhetorik steht nicht nur über dem Gesetz, sondern das Gesetz ist auch nur Rhetorik. Womit Cicero nicht ganz Unrecht hatte.

Anders als einst Cicero meinte man in der Moderne, das Gesetz als *carmen* genüge nicht oder nutze nichts. Man brauche die Gesetze als solche. Weshalb man im 16. Jahrhundert begann und bis heute damit beschäftigt ist,[116] die

116 Zu den Editionen zwischen 1515 und 2000 siehe Oliviero Diliberto: *Bibliografia ragionata delle edizioni a stampa della legge delle XII tavole.* Rom 2001, und die vorzügliche Editionsgeschichte von Jean-Louis Ferrary: *Saggio di storia della palingenesi delle Dodici Tavole,* in: Michel Humbert (Hg.): *Le Dodici Tavole. Dai Decemviri agli Umanisti.* Pavia 2005, S. 503–559. – Seit einigen Jahren

Gesetze aus den Liedern, Erzählungen, Sprüchen, Wörterbüchern und Sprichwörtern der Alten – aus Livius, Festus, Gellius, Gaius, Ulpian, Modestin – zu isolieren, ihre Buchstaben auf Tafeln zu platzieren und schließlich Druckerschwärze aus ihnen zu machen. Auch aus Ciceros *carmen necessarium* wurden *leges* geboren, auf Tafeln verteilt und mit Nummern versehen. PRIVILEGIA NE INROGANTO – so stand es in der berühmten Ausgabe des Humanisten Jacques Godefroy,[117] auf Tafel IX 1, und zwar in Versalien wie einst auf den Bronze- oder Steintafeln selbst. Der Name des Cicero ist verschwunden, ebenso jegliche Spur seines Streits mit Clodius. Beides, Autor und Kontext, hat auf den simulierten Tafeln des 5. Jahrhunderts v. Chr. nichts zu suchen. »Sondergesetze sollen sie nicht einbringen« – PRIVILEGIA NE INROGANTO. Das ist das nackte Gesetz. Drei Wörter.

Die Philologie des 19. Jahrhunderts war vorsichtiger. Das Gesetz der Tafel IX 1 erschien in den Editionen nicht mehr in Versalien, sondern in Normalschrift, mit Angabe des Verfassers und einem kleinen Auszug aus *De legibus*, nämlich jenem Satz, mit dem Cicero versichert, das Privile-

---

bemüht sich die (vor allem italienische) Romanistik, *den* Text der Zwölf Tafeln – »Non vi è … *un testo* delle XII Tavole«, Diliberto, S. 13 – durch eine Palingenesie zu ersetzen. Neuere Editionen – M. H. Crawford: *Roman Statutes*, Bd. 2. London 1996, Dieter Flach: *Das Zwölftafelgesetz*. Darmstadt 2004 – dokumentieren deshalb erfreulicherweise Parallelüberlieferungen, die einst im Apparat verwiesen worden waren. Das ändert aber nichts daran, dass im Zentrum der Bemühungen der Zwölftafel-Text steht, und nicht etwa die *carmina* seiner Autoren. Dass man dem Zwölftafel-Text durch eine Palingenesie näher kommen könne, bezweifelt zudem Antonio Guarino: *Una palingenesi delle XII Tavole?*, in: Index 19 (1991) S. 225–232. (Ob seine Hoffnung, den Text in der gleichfalls nicht überlieferten Fassung des Sextus Aelius [um 200 v. Chr.] besser rekonstruieren zu können, berechtigt ist, stehe dahin.)

117 Heidelberg 1616, hier zitiert nach der Ausgabe *Iacobi Gothofredi IC. Opuscula varia iuridica, politica, historica … * Genf 1654.

gienverbot bestehe seit den Zwölf Tafeln.[118] Damit schien zwar nicht die Authentizität des Wortlauts, aber die des Gesetzes gesichert. Das authentische Gesetz bereitete Historikern des 20. Jahrhunderts Freude und Kummer. Freude, weil man in ihm ein starkes Indiz für frühe römische Rechtsgleichheit »im Sinne des griechischen Leitbildes der Isonomie« erkannte.[119] Kummer, weil das Wort *privilegium* merkwürdig ist. In vorchristlicher Zeit ist es ausschließlich bei Cicero belegt.[120] Außer ihm weiß dementsprechend niemand, dass es *privilegia* gab, geschweige denn, dass das Wort »Sondergesetze« bedeutet und dass diese sogar seit den Zwölf Tafeln verboten waren. Wie hätten Ciceros Zeitgenossen dies auch nur ahnen können? Waren doch, wie Jochen Bleicken zu Recht bemerkte, die Gesetze der römischen Republik in aller Regel »privilegia«, nämlich »Maßnahmegesetze« oder *leges ad personam*.[121] Sollte man also annehmen, dass die

118 So die grundlegenden Editionen von Rudolph Schoell: *Legis Duodecim Tabularum reliquiae.* Leipzig 1866, und von Carl Georg Bruns: *Fontes iuris Romani antiqui*, I: *Leges et Negotia*, 7. Auflage. Tübingen 1909; dem folgt die kleine Ausgabe von Rudolf Düll: *Das Zwölftafelgesetz*, 7. Auflage. Zürich 1995.

119 Franz Wieacker: *Vom römischen Recht*, 2. Auflage. Stuttgart 1961, S. 48.

120 *Thesaurus Linguae Latinae*, vol. X, 2, Fasc. IX. Stuttgart, Leipzig 2004. Zum Folgenden Jochen Bleicken: *Lex publica, Gesetz und Recht in der römischen Republik.* Berlin, New York 1975, S. 196 ff. – Eine klare Abgrenzung von *lex = generale iussum* zu *iussa de singulis concepta* findet sich erst im 2. Jahrhundert n. Chr. bei Gellius, *Noct. Att.* 10,20,1–4, der sich dafür auf den augusteischen Juristen Capito beruft. Die römischen Juristen benutzen *privilegium* allerdings nicht im Sinne von Sondergesetz, sondern ausschließlich für genau umrissene Vorzugsrechte, so das *privilegium dotis*, das *privilegium pupilli* oder auch das *privilegium fori*.

121 Man betrachte nur die Liste der 559 »reliable laws and proposals« bei Callie Williamson: *The Laws of the Roman People. Public Law in the Expansion and Decline of the Roman Republic.* Ann Arbor 2005, S. 451–473. Sie enthält vornehmlich in die Form der Lex oder des Plebiszits gegossene politische ad hoc-Entscheidungen wie Kriegserklärungen, Friedensbeschlüsse, Exilierungen bzw. Rückrufe

Römer »praktisch unaufhörlich und ohne Widerspruch«[122] ihr eigenes Recht der Zwölf Tafeln missachtet hatten? Das mochte Bleicken ihnen nicht unterstellen. Wenn aber doch das Wort *privilegium* auf einer der Zwölf Tafeln stand – und dass es *dort* und nicht etwa nur in den Editionen stand, war über jeden Zweifel erhaben –, dann musste es wohl etwas anderes bedeutet haben, als Cicero 400 Jahre später meinte. Dieser habe, so schloss Bleicken in der Tat, eine »Umdeutung des Verbots« vorgenommen, dabei den ursprünglichen Sinn verfehlt und eine Interpretation angeboten, die sich »nicht mehr mit dem Wortlaut der XII-Tafeln (der auch heute klar ist) decken ließ.«[123]

Ciceros Interpretation also deckt sich nicht mit dem klaren Wortlaut des Gesetzes, das von keinem anderen als Cicero stammt. Dass Cicero nicht etwa (ein unqualifizierter) »Zeuge« eines Gesetzes, sondern dessen Autor ist, blieb unbemerkt. Aus seinem *carmen* war die authentische *lex* geworden, aus der Dichtung ein »Ding«, das sein Dasein nicht Cicero, sondern den Zehnmännern des 5. Jahrhunderts v. Chr. verdankt. Weshalb Cicero zum missverstehenden Interpreten seiner selbst wurde.

Vor einigen Jahren wagte allerdings ein aufmüpfiger italienischer Rechtshistoriker, Antonio Guarino,[124] das Naheliegende und zugleich Unaussprechliche doch noch

aus dem Exil, Koloniegründungen sowie »Privilegien« für bestimmte Personen. Zur engen »Verflechtung der Gesetzgebung mit der Tagespolitik« vgl. auch Franz Wieacker: *Römische Rechtsgeschichte*, Bd. 1. München 1988, S. 411 ff. »Das Volksgesetz war Tagesaktion, nicht nachhaltige Regelung auf lange Sicht; die *rogatio* oft politische Kampfhandlung ...« (S. 421).

122 Bleicken (Anm. 120), S. 205.

123 Ebd. S. 209.

124 Antonio Guarino: *Il dubbio contenuto pubblicistico delle XII tavole*, in: Labeo 34 (1988) S. 323–330.

auszusprechen: Cicero habe das Gesetz vom *privilegium* schlicht erfunden. Ein Gesetz der ehrwürdigen Zwölf Tafeln sei also in Wahrheit nichts anderes als, wie Mommsen gesagt hätte, »die Schmarotzerpflanze der römischen Advocatenberedsamkeit.«[125] Guarino löste einen Schlagabtausch unter den Gelehrten aus, bei dem es um Ciceros charakterliche Integrität und die Verlässlichkeit der Zwölf Tafeln ging.[126] Beendet schien der Streit mit der sorgfältigen und heutzutage maßgeblichen Edition der Zwölf Tafeln durch Michael H. Crawford von 1996.[127] Unter Hinweis unter anderem auf Ciceros offenkundig opportunistische Motive in *Pro domo sua* entschloss sich Crawford, den Satz der Tafel IX 1 ersatzlos zu streichen. Das erste Mal in ihrer fast 500jährigen Editionsgeschichte waren die Zwölf Tafeln um ein Gesetz ärmer geworden.

Doch so leicht lässt die Alte Geschichte sich nicht nehmen, was seit Jahrhunderten ihr Eigen war. In der neuesten deutschen Ausgabe der Zwölf Tafeln von Dieter Flach, 2004,[128] ist das Gesetz der Tafel IX 1 auferstanden und zwar, wie einst bei Gothofred, in Versalien und ohne Verfasser:

---

125 Theodor Mommsen: *Römische Geschichte*, Bd. 3, 2. Auflage. Berlin 1857, S. 476. Ndr. der 9. Auflage, Bd. 5. München (dtv) 2001, S. 161.

126 Auf Seiten der Orthodoxie Bernardo Albanese: »*Privilegia*«, »*maximus comitiatus*«, »*iussum populi*« *(XII Tab. 9.1–2. 12.5)*, in: Labeo 36 (1990) S. 19–35, mit dem Argument, eine solche »impertinente und unehrenhafte« (*sfacciato e disonesto*) Erfindung dürfe man einem Mann wie Cicero nicht zutrauen. Skeptisch und umsichtig dagegen wiederum Carlo Venturini: *I ›privilegia‹ da Cicerone ai Romanisti*, in: Studia et documenta historiae et iuris 56 (1990) S. 155–196. Das Privilegienverbot stütze sich auf »oscure disposizioni arcaiche« und sei ein Argument der »polemica politica« ohne konkrete Grundlage in der Gesetzgebung.

127 Crawford (Anm. 116).

128 Flach (Anm. 116), S. 137. In seinem Kommentar zu Tafel »9,1–2«, S. 214 ff., schweigt er allerdings zu *privilegium* – wohl nicht aus Verlegenheit, sondern aus Unkenntnis der italienischen Debatte und der Entscheidung durch Crawford.

PRIVILEGIA NE INROGANTO. Das Gesetz selbst – nicht etwa Cicero – spricht. Gesetze lügen nicht.

Schon gar nicht lügen Gesetze, die Solons Autorität genießen.[129] Auf Tafel X 4 des Zwölf Tafel-Gesetzes steht, seit alters und bis heute in Versalien, MULIERES GENAS NE RADUNTO NEVE LESSUM FUNERIS ERGO HABENTUR. Das ist bis auf ein Wort nicht schwer zu übersetzen: »Die Frauen sollen weder sich die Wangen zerkratzen noch – ja was? einen *lessus*? – beim Begräbnis veranstalten.« Konsultiert man Schulwörterbücher des Lateinischen und den *Thesaurus Linguae Latinae*, so findet man drei Belege für *lessus*:

(1) XII tabb. 10.4. Das ist der soeben zitierte Text.

(2a) Cicero, *De leg.* 2.59. Dort zitiert Cicero aus den Zwölf Tafeln den Satz: *mulieres genas non radunto neve lessum funeris ergo habentur*. Der Text von Tafel 10.4, so erkennt man sofort, ist also aus Cicero, *De leg.* 2.59 restituiert, die zwei ersten Belege sind identisch. Anders als moderne Übersetzer ist sich Cicero allerdings nicht sicher, was *lessus* bedeutet. Schon die alten Juristen, Sextus Aelius und Lucius Acilius, sagt er zu seiner Entschuldigung, hätten es nicht mehr gewusst. Sie vermuteten, es handele sich um ein Trauer*gewand*. Lucius Aelius [Stilo] hingegen habe für Trauer*geheul* – *eiulatio lugubris* – optiert, was er, Cicero, billige. Denn eben ein solches Geheul bei Begräbnissen hätten bereits die Gesetze Solons verboten, aus denen die Zwölf Tafeln geschöpft hatten.[130]

---

129 Wer müde ist von der ersten Reise in das dürre Land der Quellenkritik, kann die folgenden fünf Seiten mühelos überspringen. Sie waren ursprünglich dem Philologen und Freund Roderich Diether Reinsch zum 65. Geburtstag gewidmet und am 15. Oktober 2005 auf Zypern vorgetragen.

130 *De leg.* 2.59 und zur Bekräftigung nochmals *De leg.* 2.64.

(2b) Verfolgen wir also die Fährte zu Solon! Dessen weltberühmte Gesetze[131] haben jedoch einen Mangel: Sie sind ebenso wenig wie die Zwölf Tafeln erhalten. Man hat sie aus allerhand späteren Quellen, darunter der Aristotelischen Schrift *Der Staat der Athener*,[132] vor allem aber aus Plutarchs Biographie des Solon,[133] rekonstruiert. Plutarch, der rund 700 Jahre nach Solon lebte, berichtet nun in der Tat, dass Solons Aufmerksamkeit unter anderem dem Maßhalten bei Bestattungsriten und der Bekämpfung von Luxusbegräbnissen – zu denen auch organisiertes Jammern gehörte – galt. Einen dem »Trauergeheul« / *lessus* kongenialen griechischen Begriff im Text des Plutarch zu finden, ist allerdings bis heute nicht gelungen. Die gräzistische Forschung hat deshalb das allein durch Cicero »überlieferte« einschlägige Gesetz des Solon in Lateinisch restituiert – aus Cicero, *De leg.* 2.59.[134] Belege (1), (2a) und (2b) sind also identisch – und wir wissen immer noch nicht, was *lessus* heißt. Wenden wir uns also dem dritten Beleg zu:

(3) Cicero, *Tusc.*, 2.55. In den, etwa sechs Jahre nach *De legibus*, aufgeschriebenen Gesprächen in Tusculum diskutiert Cicero, welches das angemessene Verhalten eines Römers in emotionalen Krisensituationen sei. »Zu seufzen«, meint er, »ist zuweilen, wenn auch selten, dem Mann gestattet, Geheul (*eiulatus*) aber ist nicht einmal einer Frau erlaubt. Dies ist sicherlich mit jenem ›Klagegeheul‹ (*lessus*)

---

131 Dazu eingehend Kap. 5.

132 Aristoteles: *Athenaion politeia*, hg. von M. Chambers. Stuttgart, Leipzig 1994.

133 Plutarch: *Solon* 21.4–5.

134 Eberhard Ruschenbusch: *ΣΟΛΩΝΟΣ ΝΟΜΟΙ. Die Fragmente des solonischen Gesetzeswerkes mit einer Text- und Überlieferungsgeschichte.* Wiesbaden 1966, Fragment 72a, S. 95.

gemeint, das schon die Zwölf Tafeln bei Begräbnissen verboten haben.« Aha! Das seltsame Wort *lessus* ist entschlüsselt durch das gut belegte Wort *eiulatus*, welches – schon lautmalerisch: *eiuuuu…* indiziert – lautes Wehklagen bedeutet. Ein Blick in den kritischen Apparat der Tuskulanen[135] jedoch ernüchtert schnell: Keine einzige der nicht wenigen Handschriften weist das Wort *lessus* auf, vielmehr steht dort das höchst gewöhnliche Wort *fletus*, »Flennen«. *Lessus* im Text der Gespräche in Tusculum ist eine Interpolation, freundlicher gesagt: eine Konjektur, schlauer Humanisten.[136] Wir aber müssen feststellen: Beleg (3) *non exstat*. Und das heißt zugleich: *lessus* ist ein Wort, das in der gesamten lateinischen Literatur ein einziges Mal vorkommt, nämlich bei Cicero, *De leg.* 2.59. Ein Hapax legomenon ist und bleibt – solange menschliches Erkennen auf Unterscheiden und Vergleichen angewiesen ist – unverständlich.

Als unverständliches Wort hat *lessus* in der althistorischen Forschung Karriere gemacht. Zum einen gilt ihm eine

135 Hg. M. Pohlenz. Stuttgart (Teubner) 1965.

136 So behauptet Muretus (Marc Antoine Muret, 1526–1585) zum Text der disputationes Tusculanae: »Neque enim *fletus* in vetustis libris, sed *lessus* legitur« (*M. Antonii Mureti Variarum lectionum libri XVIIII cum observationum iuris libro singulari*, ed. nova, ed. F. A. Wolf, Bd. 1. Halle 1791, IX 19, S. 271). Die »alten Bücher«, die Muret anführt, sind allerdings keine Handschriften, sondern ältere Editionen: Zu *fletus* in den Tusculanen hatte schon Beroaldus in seiner Ausgabe von 1496 eine Randnotiz angebracht: »lessum quid« und auf Cicero: *De legibus* 2.59 verwiesen.

137 Eine Auswahl: Peter Siewert: *Die angebliche Übernahme solonischer Gesetze in die Zwölftafeln*, in: Chiron 8 (1978) S. 331–344 (S. 334); Mark Toher: *The Tenth Table and the Conflict of the Orders*, in: Kurt A. Raaflaub (Hg.): *Social Struggles in Archaic Rome*. Berkeley, Los Angeles, London 1986, S. 301–326 (S. 303 mit Anm. 9); Franz Wieacker: *Solon und die XII Tafeln*, in: *Studi in onore di Edoardo Volterra*, Bd. 3. Mailand 1971, S. 757–784 (S. 773–775); Carmine Ampolo: *Il lusso funerario e la città arcaica*, in: AION 6 (1984) S. 71–102 (S. 85); Ernst Baltrusch: *Regimen morum*. München 1988, S. 45 mit Anm. 38; Rainer Bernhardt: *Luxuskritik und Aufwandsbeschränkungen in der griechischen Welt*. Stuttgart 2003, S. 93 mit Anm. 19; P. R. Coleman-Norton: *Cicero's Contribution to the*

anhaltende, fast obsessive Aufmerksamkeit,[137] die allerdings leicht zu stereotypem Gebrauch in Kettenzitaten – »ich sage nur: *lessus*!« – verkommt. Zum anderen ist es just die Unverständlichkeit »der Wortbedeutung des verschollenen Worts *lessus*«,[138] welche für sein Alter bürgte und zu starken Vermutungen über die innere Verwandtschaft des frührömischen Rechts, wenn nicht mit der Solonischen Gesetzgebung direkt, so doch mit dem Recht Großgriechenlands beitrug.

Ein großartiger Erfolg des Redners Cicero! Sein Anliegen in *De legibus* war es, die Römer zu überzeugen, dass ein Staat, um ein wahrer und würdiger Staat zu sein, der Gesetze bedarf. Nicht irgendwelcher Verordnungen, sondern ewiger Gesetze, die im Einklang mit der Ewigkeit der göttlichen Vernunft und der Natur stehen. Solche Gesetze, darauf weist er eigens hin, müssten zum Ausweis ihres Alters und ihrer Dignität in einer schwierigen Sprache abgefasst sein: »nicht so altertümlich wie in den alten Zwölf Tafeln und den Sakralgesetzen, doch, damit sie umso mehr *auctoritas* haben, ein wenig älter als unsere Umgangssprache«.[139] Mit der nur durch den alten Stilo zu behebenden

Text of the Twelve Tables, II, in: The Classical Journal 46 (1950) S. 127–134 (S. 130); Robert Garland: *The Well-Ordered Corpse: An Investigation into the Motives behind Greek Funerary Legislation*, in: Bulletin of the Institute of Classical Studies. London, 36 (1989) S. 1–15 (S. 3); Federico D'Ippolito: *Gaio e le XII Tavole*, in: Quaderni camerti di studi romanistici 20 (1992) S. 279–289 (S. 283 f.). – Dass es sich bei *lessus* um ein Hapax handelt, ist, soweit ich sehe, der Literatur entgangen; jedenfalls wird dort häufig und unbesehen auf Cicero: *Tusc.* 2.55 verwiesen. Coleman-Norton, S. 130 mit Anm. 94, hält die Lesart *fletus* für eine Glosse zu *lessus*, was allen hergebrachten Kriterien der Textkritik Hohn spricht. Warum Crawford (Anm. 116), S. 707 den Text der Tusculanen richtig wiedergibt, aber *fletus* mit Crux versieht, vermag ich nicht nachzuvollziehen.

138 Wieacker, 1971 (Anm. 137), S. 774; dort, S. 773–781, auch die umfänglichste Exegese zu *lessus* (und einem bei Cicero auf dem Fuße folgenden zweiten unverständlichen Wort: *recinia*).

139 *De leg.* 2.18: Sunt certa legum verba, Quinte, neque ita prisca, ut in veteribus duodecim sacratisque legibus, et tamen, quo plus auctoritatis habeant, paulo antiquiora quam hic sermo est.

Unverständlichkeit des Wortes *lessus* war der Beweis erbracht, dass er ein uraltes Gesetz als *carmen necessarium* gelernt hatte. Und mit Solon war die Fährte in das gelobte Land der Griechen gelegt. Dass seine Zeitgenossen ihm diese Finte abnahmen, können wir vermuten. Jeder gebildete Römer wusste, dass es die Zwölf Tafeln einst gegeben hatte, aber kein Römer kannte den Text. Der stets gewitzte Cicero behauptet ja zu allem Überfluss, dass seine Generation die letzte war, die ihn gelernt hatte.[140] Dass dann die Humanisten, in ihrer Gier nach Nachrichten aus der Alten Welt, seiner Erzählung von *lessus* und Solon freudig und gläubig zuhören würden, hätte der Augur Cicero vielleicht ahnen können. Dass sie ihm zum Dank auch noch ein zweites *lessus* schenkten, darüber allerdings dürfte Cicero noch im Grab – hätte er denn ein solches gefunden[141] – gekichert haben. Große Freude hätte ihm gewiss die Gefolgschaft der heutigen Romanistik bereitet, die unerschütterlich seinen Weg mitgeht, den weiten Weg zurück zum Grundgesetz der Römer und weiter, über das Meer, zu den alten Griechen. MULIERES GENAS NE RADUNTO NEVE LESSUM FUNERIS ERGO HABENTUR steht in allen Editionen der Zwölf Tafeln. Unantastbar.

Und ist doch nur ein Merkvers aus Ciceros *carmen necessarium*. »Cicero. Ein grosser Wind-Beutel, Rabulist und Charletan« – das wusste schon Johann Ernst Philippi, 1735. »Wann wird doch Cicero aufhören zu fantasiren und

---

140 *De leg.* 2.59 … quas iam nemo discit.

141 Cicero fiel am 7.12.43 den Proskriptionen des zweiten Triumvirats zum Opfer. Marcus Antonius ließ Kopf und rechte Hand des Cicero auf der Rostra, dem bevorzugten Rednerort auf dem Forum, ausstellen. Fulvia, die in erster Ehe mit dem Volkstribun Clodius und in dritter Ehe mit Antonius verheiratet war, nutzte die Gelegenheit, Ciceros Zunge mit ihrer Haarnadel zu durchstechen. Cassius Dio, 47.8.3–4.

Wortspiele zu machen?« Sein »keckes Maul«, seine »Wind-macher-Kunst«, sein »aufgesetzter Brey« machen »dem Leser einen Eckel.« Man sehe nur zu, »wie Cicero hier pickelt, als ob er auf der Schaubühne zum Harlequin gedungen wäre!«[142] Philippi wurde ob seiner Schmähungen zwar seinerseits niedergemacht, und zwar von seinem berühmteren Zeitgenossen, dem Satiriker Christian Lud-wig Liscow.[143] Doch *semper aliquid haeret* ... So ganz erholt hat Cicero sich von dieser ersten Attacke nicht. Einen Mordanschlag hat schließlich Theodor Mommsen auf ihn verübt: »Er war in der Tat so durchaus Pfuscher, dass es ziemlich einerlei war, welchen Acker er pflügte. Eine Journalistennatur im schlechtesten Sinn des Wortes ...«; »so muss der absolute Mangel politischen Sinnes in den staats-rechtlichen, juristischer Deduction in den Gerichtsreden, der pflichtvergessene die Sache stets über dem Anwalt aus den Augen verlierende Egoismus, die grässliche Gedanken-öde jeden Leser der ciceronischen Reden von Herz und Verstand empören.«[144] Die Pfuscherei kann man auch als schlaue Strategie interpretieren, so Franz Wieacker:[145] »Wir können uns geradezu darauf verlassen: wenn Cicero juris-tisch Unrichtiges vorbringt, ist das meist nicht Uninfor-

---

142 *Cicero, Ein grosser Wind-Beutel, Rabulist, und Charletan: Zur Probe aus Dessen übersetzter Schutz-Rede, Die er Vor den Quintius gegen den Nervius gehalten; Samt einem doppelten Anhange ... Klar erwiesen* von D. Johann Ernst Philippi, Prof. der deutschen Bereds. zu Halle. Halle: Selbstverl. d. Autoris; Leipzig: Born, 1735 (Mikrofilm in der Zentralbibliothek Zürich: MFA 96: 407; 1735 No. 1989). Zitate: 73[60], 85[79], 95[118], 101[136], 102[143].

143 Siehe dazu Johannes Diethart: *Difficile est saturam non scribere*, in: Wandler, Zeitschrift für Literatur 19 (1996), Online-Ausgabe http://literaturwelt.de/wandler/w19_satire_essay.html.

144 Mommsen: *Römische Geschichte*, Bd. 3, S. 598 f. Ndr. (Anm. 125), Bd. 5, S. 285.

145 *Cicero als Advokat*. Vortrag gehalten vor der Berliner Juristischen Gesellschaft am 29. April 1964. Berlin 1965, S. 25.

miertheit, sondern böse Absicht.« Und Michael Crawford konnte sich Ironie nicht verkneifen: »It is of course not to be excluded that Cicero occasionally spoke the truth in a forensic speech.«[146]

Doch die Takte aus dem *carmen* von den Zwölf Tafeln, die hat man – »man« heißt auch: Mommsen, Wieacker und, bis auf eine Ausnahme, Crawford – diesem Scharlatan geglaubt, hat all seine altertümelnden Phrasen von Begräbnissen auf Tafel X verewigt und hat selbst die dreiste Lüge vom *privilegium* erneut in Stein gemeißelt. Wo ist die den beteiligten Gelehrten eigene, sonst so unerbittliche Quellenkritik geblieben? Wo die grundsätzliche, nicht selten besserwisserische Skepsis gegenüber den Reden und Erzählungen der alten Römer? Wie können ernste Wissenschaftler damit leben, dass die Wahrheit die Erfindung eines Lügners ist, und sei es nur die Wahrheit der Zwölf Tafeln und einige ihrer Gesetze? Was ist passiert?

Zum einen hat man Cicero nicht wörtlich genommen. Hat er doch nie und nirgendwo – insoweit müssen wir ihn in Schutz nehmen – vorgegeben, die Zwölf Tafeln auf Stein, Bronze, Holz oder Pergament gesehen und gelesen zu haben, sondern ganz im Gegenteil aufrichtig und redlich mitgeteilt, er habe den virtuellen Text als *carmen* gelernt. Ein Lied darf man nicht zum Buchstaben machen. Das ist ein Kategorienfehler, der dazu führte, dass man für bare Münze nahm, was der hochbegabte, listige und lustige Rhetor Cicero als feinsinnige *dissimulatio* erdachte, als eine *dissimulatio*, auf die er seine Hörer und Leser freundlicherweise mit dem schillernden Wort *carmen*, erst recht dann mit

146 Crawford (Anm. 116), S. 698.

dem Hinweis auf die Notwendigkeit einer altertümlichen Sprache der Gesetze vorbereitet hatte.

Zum anderen aber geht es nicht um irgendeinen Text des schlecht beleumundeten Advokaten Cicero, sondern um die Zwölf Tafeln, um das Grundgesetz der Römer, um die »Quelle« des gesamten römischen Rechts und damit, wie manche meinen, um das Recht *tout court*. An diesem Gesetz und seinen Texten – und mögen diese auch aus der Feder des als charakterlos diffamierten Cicero stammen – zu zweifeln, ist riskant. Man stünde eines Tages womöglich vor einem *unsicheren* Gesetz. Ein unsicheres Gesetz aber ist so viel wie keines. Das ist der *worst case*, denn: »Eine gesetzlose Welt ist auf merkwürdige Weise unwirklich«, unvernünftig und unverständlich.[147] Ohne Gesetz herrscht das Chaos. Weshalb im Lauf der Menschheitsgeschichte unzählige Gesetze – fürwahr nicht nur des Rechts, sondern auch der Natur, des Schicksals, der Geschichte, der Logik – entdeckt, gegeben, gefunden, erfunden, gemacht, verworfen, erneuert, bekräftigt wurden. Alle Sätze, auch Lieder und Sprüche, lassen sich im Prinzip und, wie man nicht zuletzt bei Cicero sieht, bei Bedarf »zu Gesetzen nobilitieren«.[148] Dann eignet ihnen Autorität, Dauer, Dignität, Ordnung, Wahrheit und was der Antonyme von Chaos mehr sind.

Nicht nur ist der Bedarf an Gesetzen zur Vermeidung von Chaos groß. Größer noch ist das Chaos des Anfangs und des Ursprungs, aus dem mit einem Urknall das Gesetz hervorging und für Ordnung sorgte. Womit die meisten

---

147 Michael Hampe: *Gesetz und Distanz. Studien über die Prinzipien der Gesetzmäßigkeit in der theoretischen und praktischen Philosophie.* Heidelberg 1996, S. 18, 49.

148 Ebd. S. 1.

zufrieden sind. Nicht zufrieden war Theodor Mommsen. 1887 hatte er den 1. Teil des 2. Bandes seines römischen Staatsrechts in der 3. Auflage perfektioniert.[149] Akkurat, beständig und vom Recht beherrscht stand die politische Ordnung der Republik auf dem Papier. Doch Mommsen entzog sich nicht der Frage nach deren »Ursprung«. Er entzog sich auch nicht der Erkenntnis, dass für die *erste* Rechtssetzung nicht das Recht Pate gestanden haben kann, sondern nur eine »ausserordentliche constituirende Gewalt«.[150] Diese allerdings sei »logisch« und »praktisch« gar nicht zu rechtfertigen und allenfalls dann hinzunehmen, »wenn der Staat einer … das gesammte Gemeinwesen neu ordnenden Gesetzgebung bedarf.« Eine solche Situation diagnostizierte Mommsen zuallererst für die Zeit der Zwölf Tafeln. Damals, im 5. Jahrhundert v. Chr., habe ein Volksbeschluss die Verfassung suspendiert, dadurch die außerordentliche konstituierende Magistratur – in Gestalt der Zehnmänner – ermöglicht und sie mit »unbeschränkter Gewalt über die Staatsordnung wie über den einzelnen Staatsbürger« ausgestattet. Aus dem legalisierten Absolutismus ging das Zwölf Tafel-Gesetz hervor, das als »der erste Ausdruck des großen politischen Gedankens eines verfassungsbildenden Oberamts für alle Zeiten vorbildlich geblieben« ist.[151]

Mommsen hat sich nie für Texte interessiert, die es nicht gab. Er widmete sich lieber den Inskriptionen. Die Texte der Zwölf Tafeln waren nicht inskribiert oder, wenn

149 Theodor Mommsen: *Römisches Staatsrecht*, Bd. 2, 1. Teil, Ndr. der 3. Auflage. Leipzig 1887. Basel 1952.

150 Ebd. S. 702 ff.

151 Ebd. S. 725.

doch jemals, so seit rund 2500 Jahren verloren. Nicht den Texten der Zwölf Tafeln galt deshalb Mommsens Aufmerksamkeit;[152] sein Scharfsinn verlangte vielmehr nach einer Erklärung des Gründungsakts der *res publica* und ihres Rechts. Dafür nahm er eine an sich höchst bedenkliche, von der Verfassung suspendierte, außerordentliche Gewalt – Carl Schmitt wird diese später »Souverän« oder »Diktatur« nennen – in Kauf. Deren erstes Produkt, die guten Zwölf Tafeln, versöhnt nicht nur mit der verfassungsbildenden, in sich verfassungslosen Gewalt. Vielmehr sind die Tafeln der Beweis, dass es jene Gewalt vor dem Recht überhaupt gab, gegeben haben muss. Weshalb auch Mommsen nicht glücklich gewesen wäre, wenn man ihm die Tafeln genommen hätte.[153] Im Schatten und Schutz der staatsrechtlichen Notwendigkeit überlebten fortan die Zwölf Tafel-Texte und *under cover* sogar das Lied des Cicero.

»*Krebs*: … Das ist ja ein Kleinod! Wie haben Sie es geschafft, das zu komponieren? Etwas Ähnliches habe ich noch nie gehört. Es gehorcht allen Harmonieregeln und hat doch, wie soll ich sagen, einen gewissen irrationalen

152 Schon in seinem Frühwerk, der »Römischen Geschichte«, stellte er fest: »Die wesentliche politische Bedeutung lag *weit weniger in dem Inhalt* des Weisthums als in der jetzt förmlich festgestellten Verpflichtung des Consuln, nach diesen Prozessformen und diesen Rechtsregeln Recht zu sprechen, und in der öffentlichen Aufstellung des Gesetzbuchs, wodurch die Rechtsverwaltung der Controle der Publicität unterworfen und der Consul genöthigt ward, allen gleiches und wahrhaft gemeines Recht zu sprechen.« Mommsen: *Römische Geschichte*, Bd. 1, S. 257. Ndr. (Anm. 125) Bd. 1, S. 296 (Hervorhebung MThF).

153 Er ließ sie sich denn auch nicht von den zwei Gelehrten nehmen, die um die Wende zum 20. Jahrhundert massive (und bis heute nicht ausgeräumte) Zweifel an der Authentizität der Zwölf Tafeln angemeldet hatten: Ettore Pais und Edouard Lambert. Mommsens »Vertreter in Gallien«, Paul Frédéric Girard, übernahm vielmehr umgehend die Verteidigung des Monuments (auch weil Mommsen selbst schon fast auf dem Sterbebett lag). Vgl. dazu Marie Theres Fögen: *Das römische Zwölftafelgesetz. Eine imaginierte Wirklichkeit*, in: M. Witte, M. Th. Fögen (Hg.): *Kodifizierung und Legitimierung des Rechts in der Antike und im Alten Orient*. Wiesbaden 2005, S. 45–70 (S. 47 ff.).

Charme. Ich kann es nicht genau ausdrücken, doch eben deshalb mag ich es.

Achilles: Ich dachte mir schon, dass Sie es mögen würden.

Schildkröte: Haben Sie einen Namen dafür, Achilles? Man könnte es vielleicht ›Lied des Pythagoras‹ nennen. Sie erinnern sich, dass Pythagoras und seine Schüler zu den ersten gehörten, die musikalische Töne erforschten.

Achilles: Ja, das stimmt. Das wäre ein sehr schöner Titel.«[154]

Er hätte auch dem pythagoreischen Sänger Cicero gut gefallen. Und den »gewissen irrationalen Charme« seines Lieds hätte er sicherlich und zu Recht zugestanden. Welch größeres Kompliment könnte man denn einem begnadeten Redner machen, als dass er mit der Irrationalität, die jeder eleganten Rhetorik eigen ist, Gefallen und Gewissheit erzeugt? Allein die moderne Forschung hat für Charme wenig übrig. An die Stelle des Kleinods, das Herr Schildkröte treffend das »Lied des Pythagoras« nannte, hat sie längst eine »herrschende Lehrbuchmeinung«, ein *carmen magistri*, gesetzt. Und singt einen »Endlos Reduplizierten Canon«, einen Kanon, dessen Ende reibungslos – mal kunstvoll in verschiedenen Tonarten oder im Krebsgang, mal monoton oder nur in der Oktav – an den Anfang anschließt und der deshalb kein Ende findet.[155] Die Selbstreferentialität des Kanons verhilft diesem nicht nur zur Ewigkeit, sondern auch zu vollständiger Autonomie. In sich strikt geschlossen, weist der Kanon fremde Elemente

---

154 Douglas R. Hofstadter: *Gödel, Escher, Bach, ein Endloses Geflochtenes Band*, 7. Auflage. München 2000, S. 592 f.

155 Ebd. S. 11 f.

ab, ist undurchdringlich, nicht zu unterbrechen, nicht zu brechen. Der Kanon *ist* das Gesetz, ein strenges Gesetz der ernsten Disziplin. Wer die Routine der kanonisierten Meinung der Wissenschaft stört und mit deren Gesetz in Konflikt gerät, wird umgehend verhaftet – wegen »erschreckender Kühnheit«[156] und »flotter Rede«.[157] Gerecht ist das nicht, solange Cicero frei herumläuft und sein erschreckend kühnes und flottes Lied als Gesetz singen darf.

156 H. Erman [*Sind die XII Tafeln echt?*], zu E. Pais, in: Zeitschrift der Savigny-Stiftung für Rechtsgeschichte, rom. Abt. 23 (1902) S. 450–457.

157 Erman (Anm. 156) zu E. Lambert: »… mehr flott und packend als allseitig wohlerwogen«. Gut 100 Jahre später und ebenfalls in Sachen Zwölf Tafeln wird das Prädikat »flott« gleich mehrfach verliehen: H. H. Jacobs, Zeitschrift der Savigny-Stiftung für Rechtsgeschichte, rom. Abt. 120 (2003) S. 200–209: »flott geschriebenen Textes« (S. 203), »in flotter Rede« (S. 204), »in weniger flotter Schreibe« (S. 207).

4. Das Lied im Gesetz

Am 11. Oktober 1881 bringt Auguste K., geb. Löwy, in Prag einen Knaben zur Welt. Sie und ihr Ehemann Adolf geben ihm den Namen Hans. Zwei Jahre später siedelt die Familie nach Wien um. Dort baut Vater Adolf eine kleine Fabrik für Lampen und Kronleuchter auf, welche die Familie – Hans bekommt drei jüngere Geschwister – ausreichend ernährt. 1900 nimmt Hans das Studium der Rechtswissenschaft auf. Eigentlich wollte er lieber Philosophie und Mathematik studieren; aber die Vernunft fordert ihren Tribut. Der junge Mann hat einen eher verschlossenen Charakter, ist wenig mitteilsam, dafür fleißig, pflichtbewusst, zielstrebig. Alles hat seine Ordnung. 1906 ist er promoviert. Als sein Vater 1907 stirbt, muss er für den Unterhalt der Mutter und der Geschwister mitsorgen. Gleichwohl gelingt es ihm, ein Buch zu schreiben und sich 1911 zu habilitieren. 1912 heiratet er. Seine Töchter Hanna und Maria werden 1914 und 1915 geboren. Im Ersten Weltkrieg tut Hans K. seinen Dienst, nicht an der Front, sondern in der Kanzlei des k. u. k. Kriegsministeriums, wo er zum unentbehrlichen juristischen Berater avanciert. 1918 wird er zum außerordentlichen, 1919 zum ordentlichen Professor der Rechtswissenschaft ernannt. Der Sohn aus bürgerlich-bescheidener jüdischer Familie macht Karriere in der österreichischen Republik, für die er eine Verfassung entwirft, um bald selbst Mitglied des neuen Verfassungsgerichtshofs zu werden. Zehn Jahre lang spielt er eine bedeutende Rolle in der Gerichtspraxis und als Universitätsprofessor, schreibt zudem regelmäßig Bücher, Artikel, Rezensionen, um die zehn Publikationen Jahr ein, Jahr aus. Politische Misshelligkeiten am Verfassungsgerichtshof veranlassen ihn 1930, an die Universität Köln zu wechseln. Da ahnt er noch nicht, dass das Reich ihm keine Zukunft bieten wird. 1933 wird er des Amtes enthoben. Das Institut universitaire de hautes études internationales in Genf gewährt ihm sicheren Aufenthalt und eine angemessene Stellung. Doch 1936 folgt Hans K. einem Ruf an die Deutsche Universität seiner Geburtsstadt Prag. Dort wird er mit Randale im Hörsaal empfangen. Der »Völkische Beobachter« vom 23. Oktober 1936 meldet: »Die Prager Deutsche Studentenschaft demonstrierte heute in würdiger Weise gegen die Ernennung des jüdischen Emigranten Dr. Hans K. zum ordentlichen Professor.« Mancher hat dafür den Boden bereitet,[158] und mancher hat noch heute die Stirn, dem Verfolgten vorzuhalten, er selbst habe dafür das »theoretische Werkzeug« geliefert.[159] Bis zum Wintersemester 1937/38 hält Hans K. es in Prag aus, kehrt dann nach Genf zurück. 1940 verlässt er Europa, findet eine erste Stelle an der Universität Harvard und wird 1942 zum Professor in Berkeley berufen. Dort lebt und lehrt er für die folgenden 30 Jahre und schreibt – um die zehn Bücher, Artikel, Rezensionen Jahr

158 Eine Woche zuvor, in der Deutschen Juristen-Zeitung vom 15. Oktober 1936, S. 1193–1199, hatte Carl Schmitt *Die deutsche Rechtswissenschaft im Kampf gegen den jüdischen Geist* publiziert. Er forderte in dieser selbst für Schmittsche Verhältnisse ungewöhnlich hetzerischen Schrift die Säuberung juristischer Bibliotheken von Büchern jüdischer Autoren und protestierte gegen die »für uns Deutsche unbegreifliche Grausamkeit und Frechheit« der »Wiener Schule des Juden Kelsen«.

159 Hans Hattenhauer: *Europäische Rechtsgeschichte*, 4. Auflage. Heidelberg 2004, S. 797 (N 2113): »Musste sich *Hans Kelsen* angesichts seines bereits eingetretenen [sic!] Emigrantenlebens nicht fragen, ob er seinen Verfolgern nicht selbst das theoretische Werkzeug für ihr juristisches Vorgehen gegen die Juden lieferte?«

ein, Jahr aus. Und stirbt nach einem »reich erfüllten Leben« in Berkeley am 19. April 1973. Hans Kelsen gilt als einer der bedeutendsten, wenn nicht der bedeutendste Jurist des 20. Jahrhunderts.[160]

Am 3. Juli 1883 bringt Julie K., auch sie eine geborene Löwy, in Prag einen Knaben zur Welt. Sie und ihr Ehemann Hermann geben ihm den Namen Franz. Kurz vor Franz' Geburt hatte sein Vater ein Handelsgeschäft für »Galanteriewaren« gegründet, das über viele Jahre florierte und die Familie – Franz bekommt drei jüngere Schwestern[161] – gut ernährte. Franz nimmt das Studium der Germanistik und der Rechtswissenschaft in Prag auf. 1906, im selben Jahr wie Hans K., wird er promoviert, auch er an der juristischen Fakultät. Von Franz K. wissen wir – er war, anders als Hans K., sehr mitteilsam –, dass er die Jurisprudenz keineswegs aus Neigung betrieb. Seine Leidenschaft galt der Literatur, dem Erdichten und Erzählen, dem Phantasieren und Grübeln. Nicht, dass er dies mit reiner Lust getan hätte. »Kein Wort fast«, klagt er, »das ich schreibe passt zum andern, ich höre wie sich die Konsonanten blechern aneinanderreiben,

160 Rudolf Aladár Métall: *Hans Kelsen. Leben und Werk*. Wien 1969. Horst Dreier: *Hans Kelsen (1881–1973): »Jurist des Jahrhunderts«?*, in: Helmut Heinrichs u. a. (Hg.): *Deutsche Juristen jüdischer Herkunft*. München 1993, S. 705–732. Zur Bedeutung und zur rechtstheoretischen Position Hans Kelsens siehe jüngst Stanley L. Paulson, Michael Stolleis (Hg.): *Hans Kelsen. Staatsrechtslehrer und Rechtstheoretiker des 20. Jahrhunderts*. Tübingen 2005. Dort ist auch die frühere umfangreiche Literatur zu Kelsen weitgehend nachgewiesen. Aus dieser zur Reinen Rechtslehre knapp und instruktiv: Ralf Dreier: *Sein und Sollen. Bemerkungen zur Reinen Rechtslehre Kelsens*, in: Juristen-Zeitung 1972, S. 329–335, Ndr. in: ders.: *Recht – Moral – Ideologie*. Frankfurt am Main 1981, S. 217–240. Zu Dreiers Kelsen-Studien wiederum (wenn auch in den weitesten Teilen zu Kelsen selbst) Stanley L. Paulson: *Ralf Dreiers Kelsen*, in: Robert Alexy (Hg.): *Integratives Verstehen*. Tübingen 2005, S. 159–197.

161 Zwei jüngere Brüder waren noch in ihrem ersten Lebensjahr gestorben.

und die Vokale singen dazu wie Ausstellungsneger.«[162] Aber ohne Schreiben ging es schon gar nicht: »Ich fühle«, notiert er 1912,[163] »wie ich mit unnachgiebiger Hand aus dem Leben gedrängt werde, wenn ich nicht schreibe.« Alles hatte seine Unordnung in diesem Leben. Versicherungssachbearbeiter war er im Brotberuf, durchaus erfolgreich, aber unterfordert und gleichzeitig überfordert, angeekelt von Routinen. »Endlich habe ich das Wort ›brandmarken‹ und den dazugehörigen Satz, halte alles aber noch im Mund mit einem Ekel und Schamgefühl, wie wenn es rohes Fleisch, aus mir geschnittenes Fleisch wäre (solche Mühe hat es mich gekostet). Endlich sage ich es, behalte aber den großen Schrecken, dass zu einer dichterischen Arbeit alles in mir bereit ist und eine solche Arbeit eine himmlische Auflösung und ein wirkliches Lebendigwerden für mich wäre, während ich hier im Bureau um eines so elenden Aktenstückes willen einen solchen Glückes fähigen Körper um ein Stück seines Fleisches berauben muss.«[164]

Für das Handelsgeschäft konnte er sich schon deshalb nicht erwärmen, weil er die Gegenwart und das Gebaren seines Vaters kaum ertrug und geradezu leidenschaftlich sein Leben lang die Rolle des »missratenen Sohns« einnahm.[165] 1914 verlobte er sich mit Felice B., um die Verlo-

---

162 *Die Tagebücher*. Frankfurt am Main 2005 (Lizenzausgabe Zweitausendeins), 15.12.1910. Zu den »Ausstellungsnegern« siehe die großartige Erzählung von Didier Daeninckx: *Reise eines Menschenfressers nach Paris*. Berlin 2001; siehe dort auch die Nachbemerkung von Klaus Wagenbach zu Kafkas Kenntnis von den überseeischen Strafkolonien.

163 Peter von Matt: *Verkommene Söhne, mißratene Töchter. Familiendesaster in der Literatur*, 2. Auflage. München 1999, S. 286 (aus einem Brief von Franz K. an Felice v. 20./21. Dezember 1912).

164 *Tagebücher* 3. 10. 1911.

165 von Matt (Anm. 163), S. 306.

bung sechs Wochen später zu lösen. 1917 wiederholte er den Vorgang mit demselben Ergebnis. 1919 probierte er es mit Julie W.; zur Ehe kommt es wiederum nicht. Damit zerschlägt sich endgültig auch die Hoffnung seiner Mutter Julie, durch Heirat und Kinderzeugen »würde auch das Interesse an der Literatur auf jenes Maß zurückgehn, das vielleicht den Gebildeten nötig ist«.[166] Franz K. schreibt, kränkelt, bricht zusammen und schreibt, auch an die nächste Geliebte, Milena J. Und er schreibt und vernichtet das Geschriebene – »Heute viele alte widerliche Papiere verbrannt«[167] – und schreibt erneut und verschließt das Geschriebene, liest es einigen Vertrauten zuweilen vor, aber gibt nur weniges zum Druck, bereut es sofort – »Wenn Rowohlt es zurückschickte und ich alles wieder einsperren und ungeschehen machen könnte, so dass ich bloß so unglücklich wäre wie früher«[168] – und publiziert nur ein, zwei Texte im Jahr und in manchen Jahren gar nichts. 1924, einundvierzigjährig, stirbt er an Kehlkopftuberkulose, in Kierling, wenige Kilometer von Wien entfernt, wo Hans K. lebt und wirkt. Franz K. hinterlässt seinem Freund Max Berge von Manuskripten – testamentarisch zur Vernichtung bestimmt. Der Freund bringt sie zum Druck. Weshalb wir lesen können, »was man mit einigem Grund die Bibel des 20. Jahrhunderts nennen darf.« Oder auch das »Gold des Zwanzigsten Jahrhunderts«, geschaffen von dem Alchimisten Franz Kafka in seinem infernalischen Lebenslabor.[169]

---

166 *Tagebücher* 19. 12. 1911.
167 *Tagebücher* 11. 3. 1912.
168 *Tagebücher* 20. 8. 1912.

Geburtsort, soziales Milieu, jüdische Herkunft, Geburtsnamen der Mutter, Studium, Jahr der Promotion, unermüdliches Schaffen, überwältigender Erfolg, Ikonen des 20. Jahrhunderts – augenfällige Gemeinsamkeiten der Herren K. und K., und doch nur Koinzidenzen. Kuriose, aber gänzlich belanglose Koinzidenzen gegenüber ihren grundverschiedenen Charakteren, Berufen, Talenten, Laufbahnen, Lebensstilen, Denkarten. Doch Eines haben sie im Lauf ihrer Parallelviten noch gemeinsam, und dies vielleicht nicht gänzlich zufällig: Der strenge, geradlinige, konsequente, unbeugsame Jurist und der hypersensible, alpträumerische, nervöse Literat lassen sich in den Zehnerjahren des 20. Jahrhunderts von ein und demselben Thema in den Bann schlagen: dem Gesetz.

»Kafka … stößt schon allenthalben auf das Gesetz; ja man kann sagen, dass er sich die Stirn an ihm blutig stößt.«[170] »Vor dem Gesetz«,[171] ganz knapp vor dessen Tor,

---

169 von Matt (Anm. 163), S. 305, 298. Zum Leben Kafkas siehe die erstmals 1958 erschienene, jetzt in Neuauflage vorliegende »klassische« Biographie von Klaus Wagenbach: *Franz Kafka. Eine Biographie seiner Jugend, 1883–1912.* Berlin 2006. Deren Fortsetzung findet man in dem anschaulichen, materialreichen, eindrücklichen Buch von Reiner Stach: *Kafka. Die Jahre der Entscheidungen.* Frankfurt am Main 2002.

170 Walter Benjamin, Notiz Mai/Juni 1931, in: Hermann Schweppenhäuser (Hg.): *Benjamin über Kafka. Texte, Briefzeugnisse, Aufzeichnungen.* Frankfurt am Main 1981, S. 132. Eindringlich zu Kafkas »juristischem Denken« »zwischen Reinem Recht und Freiem Recht« sowie zu parallelen Interessen von Karl Kraus, Robert Musil und anderen Zeitgenossen: Theodore Ziolkowski: *Kafkas »Der Prozeß« und die Krise des modernen Rechts,* in: Ulrich Mölk (Hg.): *Literatur und Recht. Literarische Rechtsfälle von der Antike bis in die Gegenwart.* Göttingen 1996, S. 325–340. Skeptisch gegenüber der dortigen Betonung (straf-)rechtlicher Kategorien in Kafkas »Prozeß« und stattdessen zu einer an Sigmund Freud orientierten Interpretation neigend: Eberhard Schmidhäuser: *Kafkas »Der Prozeß«. Ein Versuch aus der Sicht des Juristen,* ebd. S. 341–355.

171 Erzählung (Teil des Romans *Der Proceß*), publiziert 1915; benutzt nach M. Pasley (Hg.): *Franz Kafka, Der Proceß. Roman in der Fassung der Handschrift,* 8. Auflage. Frankfurt am Main 2000, darin: S. 226–235.

bremst er, bleibt wie angewurzelt stehen. Denn: »Vor dem Gesetz steht ein Türhüter. Zu diesem Türhüter kommt ein Mann vom Lande und bittet um Eintritt in das Gesetz. Aber der Türhüter sagt, dass er ihm jetzt den Eintritt nicht gewähren könne.« Die Geschichte nimmt ihren quälenden Verlauf. Das Tor zum Gesetz steht zwar offen, und der Türhüter hindert den Mann keineswegs mit Gewalt, in das Gebäude des Gesetzes einzutreten – Gewalt ist nicht seine Sache; er bringt dem Mann sogar einen Schemel, damit er bequemer warten kann. Aber hinter ihm, sagt er, stehen weitere Türhüter, »einer mächtiger als der andere«. Geduldig sitzt der Mann auf seinem Schemel, Tage, Monate und Jahre lang, macht viele Anläufe, eingelassen zu werden, versucht sogar, den Türhüter zu bestechen – alles vergeblich. Erst als er alt und müde ist und außerdem erblindet, erkennt der Mann vom Land plötzlich »im Dunkel einen Glanz, der unverlöschlich aus der Türe des Gesetzes bricht.« Ehe sein Leben bald darauf zu Ende geht, richtet er die Frage an den unwirschen Türhüter: »Alle streben doch nach dem Gesetz, wieso kommt es, dass in den vielen Jahren niemand außer mir Einlass verlangt hat?« Der Türhüter brüllt den fast Tauben an: »Hier konnte niemand sonst Einlass erhalten, denn dieser Eingang war nur für Dich bestimmt. Ich gehe jetzt und schließe ihn.«

Schluss. Eine irritierende Erzählung. Eine erste Interpretation fügt Kafka selbst bei. Wer hat hier wen getäuscht? Scheinbar der Türhüter den Mann, indem er ihm die erlösende Mitteilung »dieser Eingang war nur für Dich bestimmt« machte, als es zu spät war. Doch hat der Türhüter auch nur seine Pflicht getan, hat »teilnahmslose Fragen« an den Mann gerichtet, hat dessen Bestechungsgeschenke lediglich deshalb akzeptiert, damit der Mann nicht glaube,

»etwas versäumt zu haben«. »Kann es einen pflichttreueren Türhüter geben?« Immerhin gebe es auch die Meinung, dass nicht der Mann, sondern der Türhüter der Getäuschte sei. Denn dieser steht »zwar im Dienst des Gesetzes, dient aber nur für diesen Eingang, also auch nur für diesen Mann, für den dieser Eingang allein bestimmt ist.« Woraus man sogar schließen dürfe, dass der Türhüter das Innere selbst nicht kennt, »sondern nur den Weg, den er vor dem Eingang immer wieder abgehn muss.« Recht eigentlich jedoch könne man die Frage, wer hier wen getäuscht habe, wer wem über- oder untergeordnet war, wer wem geschadet hat, gar nicht beantworten. »Wie er [der Türhüter] uns auch erscheinen mag, so ist er doch ein Diener des Gesetzes, also zum Gesetz gehörig, also dem menschlichen Urteil entrückt.« Dann müsse man, meint K., ja alles für wahr halten, was der Türhüter sagt. Eben dies sei aber durch die Geschichte selbst widerlegt. »Die Lüge wird zur Weltordnung. K. sagte das abschließend, aber sein Endurteil war es nicht.«

Eine Erzählung von Unentscheidbarkeiten, von infiniten Interpretationen, von Aussagen, die unsere einfache Logik als Widersprüche empfindet. Als Dokument der prinzipiellen Unzugänglichkeit aller Texte und der Paradoxie von Gesetzestexten im besonderen – »weil wir nicht eintreten können, obschon wir es könnten«[172] – ist Kafkas Erzählung gewiss zu Recht gedeutet worden.[173] Aber das

---

172 Kiesow (Anm. 18), S. 54.

173 Die Darstellung der *Möglichkeit* des »Hineinschlüpfens«, die sich nicht realisiert oder endlos verzögert wird, hat bei Kafka System. Vgl. die verblüffende Parallele bei Peter von Matt: *... fertig ist das Angesicht. Zur Literaturgeschichte des menschlichen Geistes*. München, Wien 1983 (dtv 2000), S. 42 f. zu Kafkas Beschreibung des Angesichts von Frau Tschissik: »... man glaubt unter ihre

Teuflische an der Erzählung ist ihre autologische Konstruktion. Wer eine Meinung vom Sinn der Geschichte hat, erkennt, dass es immerhin auch die Meinung gibt … »Ich zeige Dir nur die Meinungen, die darüber bestehen. Du musst nicht zuviel auf Meinungen achten. Die Schrift ist unveränderlich und die Meinungen sind oft nur ein Ausdruck der Verzweiflung darüber.« Die Verzweiflung hält an. Die Schrift, gerade auch diese Erzählung von Kafka, wird »mit solchem Ernst, solcher Hingebung gelesen …, so wild, so tausendfältig anders ausgelegt« wie wenige andere Texte. Weshalb die Schrift *Vor dem Gesetz* schon vorführt, was mit ihr selbst geschehen und welcher Tortur sie unterzogen werden wird, nämlich »Deutungsverfahren, die diesem Text gegenüber unweigerlich eingeleitet werden und unweigerlich scheitern.«[174] Immer neue Anläufe des Mannes vom Lande einzutreten, die alle unweigerlich scheitern. Der Text steht unter »Spielverdacht«. Kafkas Lieblingsspiel heißt »das Dazwischen«, die in die Länge gezogene, nicht enden wollende Schwellensekunde zwischen offen und geschlossen, draußen und drinnen, lebendig und tot, ja und nein.[175] »Mir scheint«, schreibt Siegfried Kracauer, ein früher Bewunderer Kafkas, »als ob die Wahrheit in ihrer Realität immer genau an der Stelle läge, über die wir gerade geschritten sind.«[176] Das ist Kafkas bevorzugter Aufent-

Augenlider mit dem Blick zu kommen, wenn man zuerst vorsichtig die Wangen entlang schaut und dann sich kleinmachend hineinschlüpft, wobei man die Lider gar nicht erst heben muss, denn sie sind gehoben und lassen eben einen bläulichen Schimmer durch, der zu dem Versuch lockt.« *Tagebücher* 22. Oktober 1911.

174 von Matt: *Verkommene Söhne* (Anm. 163), S. 305.

175 Ebd. S. 275, 304.

176 Brief an Ernst Bloch, 1928, zitiert nach Christian Linder: *Im Niemandsland. Spaziergänge mit Siegfried Kracauer durch Ruinenfelder der Moderne*, in: Lettre International 75 (2006) S. 56 ff. (S. 61).

haltsort, der blinde Fleck jeder Unterscheidung. Und seine bevorzugte Zeit ist der unsichtbare Augenblick, in dem man, auf Zehenspitzen stehend und mit blank liegenden Nerven, die Treppe hinauf- oder hinunterfallen kann. Jedenfalls fallen.[177]

Als Kafka *Vor dem Gesetz* publizierte, da hatten auch manche Zeitgenossen, die aus professionellen Gründen in das Gesetz schauen müssen, ein Problem. Juristen schlagen ihre Gesetzbücher auf. Seit Jahrtausenden kennen sie allerdings die Anweisung, dass das, was sie da sehen, die Schrift, nicht wörtlich, sondern sinngemäß zu verstehen sei. »Die Gesetze kennen heißt nicht, sich an ihre Wörter, sondern an ihre Kraft und ihr Vermögen zu halten.«[178] Was aber, wenn zwar die Wörter sichtbar sind, die Kraft und das Vermögen dahinter aber verschlossen? Wobei *vis ac potestas* doch auch nur Wörter sind, die alles Mögliche bedeuten können: »Gewalt und Macht« etwa würde man aus dem üblichen Juristenlatein übersetzen.[179] Deutsche Juristen hingegen bevorzugen seit langem »Sinn und Zweck«.[180] Vielleicht trifft doch besser zu: »lo spirito e la forza«[181] oder »l'esprit

---

177 Und vielleicht Kafka verfallen. Dass Peter von Matt: *Verkommene Söhne* (Anm. 163) in den letzten Zeilen zu Kafka in die Ich-Form verfällt (»Und wie immer ich mich mit dem ätzenden Traum arrangiert habe ...«, S. 307), fällt auf.

178 D. 1.3.17 (Celsus): Scire leges non est verba earum tenere, sed vim ac potestatem.

179 Man denke nur an Besitzschutzinterdikte wie »unde vi«, »vi armata« oder an die Klausel »vi aut clam«, die physische Gewalt betreffen; *potestas* könnte man auch mit »Herrschaft« übersetzen, so wohl am ehesten in der *patria potestas* oder der *potestas* eines Magistrats.

180 Carl Eduard Otto, Bruno Schilling, Carl Friedrich Ferdinand Sintenis (Hg.): *Das Corpus Juris Civilis in's Deutsche übersetzt ...* Bd. 1, 2. Auflage. Leipzig 1839 (Ndr. Aalen 1984). »Gesetze kennen heißt nicht, ihre Worte kennen, sondern ihren Sinn und Zweck.« Ebenso: Okko Behrends, Rolf Knütel u.a. (Hg.): *Corpus Iuris Civilis, Text und Übersetzung*, Bd. 2. Heidelberg 1995.

181 Giovanni Vignali (Hg.): *Corpo del diritto corredato delle note di Dionisio Gotofredo, e di C.E. Freiesleben, Digesto*, Bd. 1. Neapel 1856: »Saper le leggi non significa ciò, saperne le parole, ma conoscerne lo spirito e la forza.«

et l'éntendue«?[182] Womöglich aber auch »force and tendency«[183] respektive »kracht en strekking«?[184]

Geist, Zweck, Neigung, Gewalt, Ziel, Sinn, Macht – an all diese Wörter soll sich der Gesetzeskenner (wahlweise oder kumulativ?) eher halten als an die Worte des Gesetzes selbst? An die Stelle der nichtsnutzigen Ambiguität von *vis ac potestas* hat die Wissenschaft vom Recht im Lauf der Zeit scheinbar zugänglichere Personen, wie Herrscher oder Gott, oder angeblich eindeutigere Referenzen, z. B. Vernunft oder Natur, gesetzt. Alle diese Substituten von *vis ac potestas* aber waren schon vor der Zeit Kafkas und seiner juristischen Kollegen von der Bühne hinter den Gesetzesworten abgetreten. Lange noch hatte man versucht, hinter den Worten des Gesetzes neue, säkularisierte, vom Recht selbst gezeugte Autoritäten zu etablieren, welche dem Gesetz Kraft und Vermögen einhauchen sollten. »Geschichte« oder »System« zum Beispiel vermutete man hinter dem Türhüter und den weiteren Türhütern, einer mächtiger als der andere. Geschichte, und nur die Geschichte, meinte Savigny, wisse und sage, was das Gesetz sagt. Das System, hoffte ein Jurist wie Windscheid, bringe aus sich selbst hervor, was das Gesetz hartnäckig verschweige. Doch dann wurde die Geschichte abgeschnitten,

---

182 M. Hulot (Hg.): *Les cinquante livres du Digeste ou des Pandectes de l'Empereur Justinien. Traduit en français* … Bd. 1. Metz, Paris 1803, Ndr. Aalen 1979: »Ce n'est pas savoir les lois que d'en connoître les termes, il faut en approfondir l'esprit et l'éntendue.«

183 Alan Watson (Hg.): *The Digest of Justinian*, Bd. 1. Philadelphia Penn. 1985: »Knowing laws is not a matter of sticking to their words, but a matter of grasping their force and tendency.«

184 J. E. Spruit u. a. (Hg.): *Corpus Iuris Civilis. Tekst en Vertaling*, Bd. 2. Zutphen 1994: »De wetten kennen betekent niet de woorden ervan machtig zijn, maar hun kracht en strekking.«

abrupt abgeschnitten durch eine Kodifikation, frühzeitig etwa in Frankreich und Österreich, spät und umso gründlicher in Deutschland. Und das »System«, einst potenter Rechtsproduzent, verkümmerte nun zum Hilfsausleger des Gesetzes. In einem nachutopischen, metaphysikfreien, positiv gewordenen Zeitalter waren nur die Worte des Gesetzes übrig geblieben. Als Kafka *Vor dem Gesetz* schrieb, da saßen auch die Juristen auf dem Schemel vor den Worten des Gesetzes, die unzugänglich blieben, weil hinter ihnen nichts und niemand sagte, was sie sagen. Weshalb es nur noch Meinungen gab und immerhin noch eine Meinung und notfalls eine von Juristen zwar stets geschätzte »herrschende Meinung«, die irdische oder göttliche Herrscher doch nie ersetzte. Die Jurisprudenz des frühen 20. Jahrhunderts musste sich an die Aussage gewöhnen:»Richtiges Auffassen einer Sache und Missverstehn der gleichen Sache schließen einander nicht vollständig aus.«[185]

Manche Juristen im Zeitalter des Juristen Kafka zogen daraus eine radikale Konsequenz. Sie degradierten und verstießen kurzerhand das störrisch stumme, trotz aller Hermeneutik hermetisch abgeriegelte Gesetz. Dass dieses spreche, sei ohnehin eine Illusion. Vielmehr seien es die Politik und die Weltanschauung, die Interessen, Zwecke, Begehrlichkeiten, die »Praxis«, die Gewohnheiten, womöglich auch die Erziehung und das Herkommen der »Kinder des Beamtenstaates«, welche – ob nun mit oder neben dem Gesetz oder ohne oder gegen das Gesetz – das Recht zum

---

185 *Vor dem Gesetz* (Anm. 171), S. 229. – Zu den Folgen, die diese Erkenntnis im weiteren Verlauf des 20. Jahrhunderts in der Rechtswissenschaft und Rechtstheorie noch zeitigen sollte, siehe knapp: Dieter Simon: *Es ist, wie es ist*, in: O. G. Oexle (Hg.): *Naturwissenschaft, Geisteswissenschaft, Kulturwissenschaft.* Göttingen 1998, S. 79–97.

Leben brächten.[186] Die so genannte »Freirechtsschule« postulierte einen soziologischen Zugriff auf das Recht, welcher das Gesetz in die Enge drängte, wo nicht vollständig verdrängte.

Für orthodoxe Juristen und für den akademischen Unterricht war das vollständig inakzeptabel. Zwecke und Interessen im Recht – die wollte man nicht gänzlich leugnen.[187] Doch zu mehr als Dienern und Helfern, die vor der Tür des Gesetzes hin und her schreiten, reiften diese kaum. Die Gesetzesliebe und der Gesetzespositivismus blieben en vogue. Ebenso wie Glaube und Hoffnung, man könne doch noch in das Gesetz eintreten, wenn man nur geduldig warte. Kafka hat sich keinen Pappkameraden gemacht. Er hatte im Studium mit Sicherheit die Ehrfurcht vor dem Gesetz gelernt. Und auch gelernt und erfahren, dass das heilige Gesetz nicht hilft: »Die Schrift ist unveränderlich und die Meinungen sind oft nur ein Ausdruck der Verzweiflung darüber.« Im Innern des Gesetzes ist nichts. Das Gesetz sagt nichts.

»Wohl aber erkennt er jetzt im Dunkel einen Glanz, der unverlöschlich aus der Türe des Gesetzes bricht.« Ein Rest des Glaubens, da sei etwas, das auf ewig glänzt? Etwas,

186 Eugen Ehrlich: *Freie Rechtsfindung und freie Rechtswissenschaft*, Vortrag 1903, in: Manfred Rehbinder (Hg.): *Recht und Leben. Gesammelte Schriften zur Rechtstatsachenforschung und zur Freirechtslehre.* Berlin 1967, S. 170 ff. Siehe auch Hermann Kantorowicz: *Der Kampf um die Rechtswissenschaft.* Heidelberg 1906, Ndr. in: Karlheinz Muscheler (Hg.). Baden-Baden 2002, und schließlich Ernst Fuchs: *Was will die Freirechtsschule?*, 1929, in: Albert S. Foulkes, Arthur Kaufmann (Hg.): *Ernst Fuchs, Gerechtigkeitswissenschaft.* Karlsruhe 1965.

187 Johann Edelmann: *Die Entwicklung der Interessenjurisprudenz.* Bad Homburg vor der Höhe, Berlin, Zürich 1967. Zur Geschichte von einem – endlich – als »interessenneutral« konzipierten Recht und dem – späten – Einbau von »Interesse« als Fremdreferenz in das positive Recht siehe Niklas Luhmann: *Interesse und Interessenjurisprudenz im Spannungsfeld von Gesetzgebung und Rechtsprechung,* in: Zeitschrift für Neuere Rechtsgeschichte 12 (1990) S. 1–13.

das man erst nach ewigem Warten und in der Schwellensekunde zwischen Leben und Tod erblickt, den Glanz des Gesetzes? Oder sogar das göttliche Licht der Thora?[188] Dazu gibt es Meinungen, viele Meinungen.[189]

Als Franz K. die wenigen Seiten *Vor dem Gesetz* dem Druck übergab, da hatte sein wenig älterer Landsmann Hans K. allen familiären und finanziellen Schwierigkeiten zum Trotz schon längst ein über 700seitiges Werk publiziert: *Hauptprobleme der Staatsrechtslehre*, 1911.[190] Es beginnt mit dem Kapitel »Naturgesetz und Norm. Der Sprachgebrauch des Wortes ›Gesetz‹«. Der dreißigjährige Habilitand unternimmt nichts Geringeres als das Gesetz zu reinigen, gründlich und radikal zu reinigen von allem, was man ihm im Lauf der Geschichte unterschoben, angeheftet, aufgesetzt hatte. Kaum noch muss er sich mit den mächtigen transzendenten Wesen »Natur« oder »Vernunft« aufhalten – die wird er später als Produkte eines allzu menschlichen Verlangens, »das Wesen der Dinge zu ergründen« und zu fragen, »was ›hinter‹ den Dingen liegt«, beschreiben.[191] Dass etwas hinter den Dingen existiert, hält Hans K. ebenso wie Franz K. für eine Illusion. Intensiver befasst er sich 1911 mit den Ersatzfiguren, die in seiner Zeit das Gesetz begründen und begleiten: Der schon erwähnte

---

188 »Das ist der religiöseste Moment der Schrift.« Jacques Derrida: *Préjugés. Vor dem Gesetz*, 3. Auflage. Wien 2005, S. 69.

189 Einen Überblick vermittelt Ekkehard W. Haring: *Wege jüdischer Kafka-Deutung. Versuch einer kritischen Bilanz*, in: Das jüdische Echo. Europäisches Forum für Kultur und Politik. Wien 2001, S. 310–314. Zugänglich im Internet: The Kafka Project by Mauro Nervi: http://www.kafka.org/index.

190 Hans Kelsen: *Hauptprobleme der Staatsrechtslehre. Entwickelt aus der Lehre vom Rechtssatze*, 1911. Die zweite hier benutzte Auflage, Tübingen 1923 (Ndr. Aalen 1960), ist lediglich um ein Vorwort vermehrt.

191 Hans Kelsen: *Die philosophischen Grundlagen der Naturrechtslehre und des Rechtspositivismus*. Charlottenburg 1928, S. 41 ff.

»Zweck« des Gesetzes, die »Anerkennung« durch die Rechtsgemeinschaft, der »Wille« der Individuen, der »Imperativ« der Norm, das »Interesse« der Subjekte, die »Gewohnheit« oder das »Leben«. Was immer Bernhard Windscheid, Rudolf von Jhering, Ernst Zitelmann, Eugen Ehrlich, Walter Jellinek, Karl Binding, Rudolf Smend und andere im nachmetaphysischen Zeitalter dem Gesetz einge-schrieben hatten – Hans Kelsen entlarvt es als zutiefst unju-ristischen Gesang.[192] Schließlich seien für den Willen die Psychologie und die Biologie zuständig: »Die Erzeugung des Willens vollzieht sich im ›Menschen‹ der Biologie, nicht in der ›Person‹ der Jurisprudenz!«[193] Zweck und Befehl seien Sache der Politik; mit Gewohnheit möge sich die Soziologie befassen; zur Reflexion der Moral gebe es die Ethik.

»Anders der Jurist.« Das »anders« ist Programm, ist die hochgemute These von der Autonomie des Rechts und seiner Verwalter. »Anders der Jurist. Ihm ist unverrückbare und außer aller Diskussion stehende Voraussetzung, was der Moralphilosoph erst kritisch zu entscheiden hat: die normative Natur des Rechtssatzes. ... Nur *formal* kann die Frage sein, die der Jurist zu stellen befugt ist; nicht der Grund, das Warum, sondern nur das ›Wie‹ ist es, das der Jurist festzustellen hat. Seine Frage lautet: Welches sind die Sätze, die als Rechtssätze von den Organen des Staates angewendet, von den Untertanen befolgt werden sollen? Woran sind diese Sätze zu erkennen? Welches ist ihre logi-

---

192 Zum Verhältnis Kelsen – Ehrlich: Klaus Lüderssen und zum Verhältnis Smend – Kelsen: Stefan Korioth in: Paulson, Stolleis (Hg.): *Hans Kelsen* (Anm. 160), S. 264 ff. und S. 318 ff.

193 Kelsen: *Hauptprobleme* (Anm. 190), S. 411.

sche Form?«[194] Dabei geht es Kelsen, wie er wenig später zu erläutern für angebracht hält,[195] keineswegs darum, Recht und Gesetz auf die Ebene des Tatsächlichen zu reduzieren – die reine Faktizität des Rechts wäre, wo von Interesse, ohnehin Sache der empirischen Wissenschaften. Er wandelt vielmehr nach Zurückweisung aller naturrechtlichen Rechtstheorien und auch aller ihrer Schrumpfformen, wie Zweck-, Interessen-, Anerkennungs- und Willenstheorie, auf dem halsbrecherisch schmalen Steg zwischen der Untiefe der Empirie und dem Abgrund der Metaphysik. Das Gesetz des Rechts ist ein Tertium, das sich weder empirisch noch metaphysisch adäquat beschreiben lässt. Ihm genügt und ihm allein gehört eine Eigenschaft, die Niklas Luhmann später das »Symbol« des Rechtssystems nennen wird, nämlich »Geltung«.[196] Nur in Geltung begründet das Gesetz sich aus sich selbst, ohne Zuhilfenahme fremder Normativitäten. Und umgekehrt: Ohne Geltung gibt es kein Recht. Ohne Geltung gibt es auch keine Einheit des Rechts. Geltung aber, so Kelsen, sei nur zu haben und zu greifen, wo das Recht »gesetzt«, also wörtlich »positiv« geworden ist, und zwar gesetzt in dem dafür vorgesehenen und erforderlichen Verfahren, welches seinerseits auf Gesetz beruht.

Das Problem, welches Kelsen fast sein langes Leben lang beschäftigen sollte, kündigt sich an. Wer setzt das *erste* Gesetz, das alle folgenden Satzungen nicht nur legitimiert,

---

194 Ebd. S. 353.

195 Hans Kelsen: *Das Problem der Souveränität und die Theorie des Völkerrechts. Beitrag zu einer reinen Rechtslehre*. Tübingen 1920; die Schrift (Vorrede S. VIII) war »im Jahre 1916 grundsätzlich abgeschlossen«. Hier benutzt in der 2. unveränderten Auflage. Tübingen 1928 (Ndr. Aalen 1960), S. 88 ff.

196 Niklas Luhmann: *Die Geltung des Rechts*, in: Rechtstheorie 22 (1991) S. 273–286.

sondern formallogisch als Rechtssatzungen erkennbar macht? Den Staat mit seinen Gesetzgebungskompetenzen begreift Kelsen seinerseits als Produkt des Rechts: »Der Gesetzgebungsprozess ist nicht eine Funktion des Staates oder des Rechtes, er ist eine Voraussetzung beider, die außerhalb ihrer Grenzen liegt.«[197] Noch, im Jahr 1911, lokalisiert er den Gesetzgebungsakt irgendwo zwischen Staat und Gesellschaft: »Es muss einen Punkt geben, an dem der Strom sozialen Lebens immer wieder in den Staatskörper eindringt, eine Übergangsstelle, wo die amorphen Elemente der Gesellschaft in die festen Formen des Staates und des Rechts übergehen. Es ist dies die Stelle, wo Sitte und Moral, wo wirtschaftliche und religiöse Interessen zu Rechtssätzen, zum Inhalt des Staatswillens werden: im Gesetzgebungsakte. … Es ist das große *Mysterium* von Recht und Staat, das sich in dem Gesetzgebungsakte vollzieht …«[198] Selten driftete Kelsen derart ins Mystische ab, schämt sich denn auch sogleich für seine »unzulänglichen Bilder« und holt das Problem schnell in die exakte Wissenschaft zurück. Der mysteriöse Willensbildungsprozess des Staates mithilfe der Gesellschaft, stellt er fest, ist bestenfalls ein »soziologisch qualifizierbarer« und deshalb ein »rechtlich irrelevanter« Vorgang.

Wo dann aber den Geltungsgrund des Gesetzes suchen? Kann dieser, weil ein Sollen nur dem Sollen und niemals dem Sein entspringt, doch seinerseits nur ein Gesetz sein! Die Antwort, die in den *Hauptproblemen* von

---

197 Kelsen: *Hauptprobleme* (Anm. 190), S. 410.

198 Ebd. S. 410 f. Die Semantik des Zitats – *die* Gesellschaft mit ihren amorphen Elementen; *der* Staatskörper mit seinen festen Formen; das Mysterium, das sich im Gesetzgebungsakt vollzieht – harrt übrigens einer Analyse. Sigmund Freud lehrte zu jener Zeit ebenfalls in Wien.

1911 vorbereitet wird, heißt bald, zum Beispiel in der 1916 abgeschlossenen Schrift *Zum Problem der Souveränität*, »Ursprungsnorm«.[199] Wenig später erhält sie dann ihren weltberühmten Namen: die »Grundnorm«.[200] Kompakt und verdichtet beschreibt Kelsen die Grundnorm schließlich folgendermaßen: »Der Geltungsgrund einer Norm kann nur die Geltung einer anderen Norm sein. … Aber die Suche nach dem Geltungsgrund einer Norm kann nicht, wie die Suche nach der Ursache einer Wirkung, ins Endlose gehen. Sie muss bei einer Norm enden, die als letzte, höchste vorausgesetzt wird. Als höchste Norm muss sie *vorausgesetzt* sein, da sie nicht von einer Autorität *gesetzt* sein kann, deren Kompetenz auf einer noch höheren Norm beruhen müsste. Ihre Geltung kann nicht mehr von einer höheren Norm abgeleitet, der Grund ihrer Geltung nicht mehr in Frage gestellt werden. Eine solche als höchste vorausgesetzte Norm wird hier als Grundnorm bezeichnet.«[201] »Die Grundnorm liefert nur den Geltungsgrund, nicht aber auch den Inhalt der dieses System bildenden Normen.«[202]

Die Paradoxie des (Gründungs-)Gesetzes ist entfaltet, allerdings – und anders geht es wohl nicht – unter Zuhilfenahme einer Figur, der Grundnorm, die »außerhalb des positiven Rechts selbst liegt.«[203] Diese Figur ist »voraus-

---

199 *Souveränität* (Anm. 195), 1920 [1916], S. VII, 93, 94.

200 So in Hans Kelsen: *Allgemeine Staatslehre*. Berlin 1925, S. 84, 104 und passim; *Naturrechtslehre* 1928 (Anm. 191), S. 12 f. und dann natürlich in Hans Kelsen: *Reine Rechtslehre*. Leipzig, Wien 1934. Vgl. auch Stanley L. Paulson: *On the Early Development of the Grundnorm*, in: *Law, Life and the Images of Man. Festschrift for Jan M. Broekman*. Berlin 1996, S. 217–230.

201 *Reine Rechtslehre*, 2. Auflage. Wien 1960, S. 196.

202 Ebd. S. 199 f.

203 Ebd. Anhang II, S. 442–444.

gesetzt«, nicht abgeleitet – so wie die *causa prima* namens Gott. Sie ist inhaltsleer, ohne Eigenschaften – so wenig wie es erlaubt ist oder je gelungen wäre, Gott Attribute zuzuschreiben. Fragen nach dem Geltungsgrund der Grundnorm sind nicht zulässig und nicht zweckmäßig – gescheitert sind auch alle Gottesbeweise. Unsichtbar, »hypothetisch«, der Diskussion entzogen bleibt die Grundnorm – wie die Inkommunikabilität Gottes. Und trotz und wegen all dieser Defizite kann die Grundnorm etwas, was auch der Kontingenzformel Gott[204] eigen ist: Sie verschafft dem System einen Sinn und damit seine Einheit und stellt sein endloses Weiterlaufen sicher, von Operation zu Operation, ohne dass es dabei jedes Mal reflektieren muss, was es tut und – schlimmer – was es nicht tut, obwohl es so vieles tun könnte. Die Grundnorm vermeidet, wie jede Kontingenzformel, die Reise »ins Endlose«. Sie, die nicht existiert, etabliert das Gesetz, das existiert. Sie, die keinen Inhalt hat, erlaubt Gesetze beliebigen Inhalts. Welchen Inhalt – das ist eine politische Frage.[205] Das Gesetz des Rechts ist ebenso offen wie leer.

---

204 Niklas Luhmann: *Die Religion der Gesellschaft*. Frankfurt am Main 2000, S. 147 ff.

205 Darin liegt natürlich das große politische Potential und demokratische Engagement des Hans Kelsen, das sich zum Beispiel schon in seiner Schrift *Vom Wesen und Wert der Demokratie*. Tübingen 1920, äußert. Der Einwand, die positivistische Auffassung des Gesetzes habe dem Unrecht des Nationalsozialismus Tür und Tor geöffnet – wie ich dies noch in meiner eigenen Studienzeit in den 60er Jahren vernahm –, ist ebenso grotesk wie längst (seit Bernd Rüthers: *Die unbegrenzte Auslegung* von 1968) widerlegt. Ausgerottet ist er deshalb noch lange nicht; vgl. zum Beispiel Hattenhauer: *Europäische Rechtsgeschichte* (Anm. 159) oder jüngst den Präsidenten des Bundesgerichtshofs, Günter Hirsch: *Zwischenruf. Der Richter wird's schon richten*, in: Zeitschrift für Rechtspolitik 5 (2006) S. 161: »... Gesetz und Recht decken sich zwar in aller Regel, aber, wie die deutsche Vergangenheit gezeigt hat ›nicht notwendig und immer‹ (*BVerfG*).« Dagegen – unermüdlich – Bernd Rüthers: *Deckel zu! Richter sind keine Pianisten*, in: FAZ v. 27. 12. 2006.

Vor dem Gesetz, zum Gesetz, als Gesetz mögen Lieder erklingen. *Im* Gesetz, so scheint es, herrscht Totenstille. Das Gesetz selbst ist stumm, bei Franz Kafka wie bei Hans Kelsen. Die beiden Zeitgenossen traten noch einmal mutig an, um in das Innere des Gesetzes zu blicken. Aber da war nichts. Das Gesetz erscheint »als reine Leerform, ohne jeden Inhalt und ohne erkennbaren Gegenstand.«[206] In Zeiten des Positivismus (der auf das setzt, was ist) und zugleich des Relativismus (der weiß, dass das, was ist, eine Schimäre ist) war die Suche nach »dem« Gesetz gefährlich sinnlos geworden. Und so endete der literarische Essay vor der offenen, verschlossenen Tür vor dem Gesetz und der juristische Versuch bei »Gesetz ist Gesetz aufgrund Gesetzes«. Ohne alle Metaphysik, ohne Gott, ohne Gerechtigkeit, ohne Glauben fehlt dem Gesetz die Musik. Franz Kafka und Hans Kelsen haben das gewusst und auf ihre je eigene Weise ertragen: der erste in einer grotesken, ironischen, peinigenden Erzählung, der zweite in einem unerbittlich konsequenten wissenschaftlichen Lebenswerk.

Wer damit nicht zufrieden ist, mag seine Hoffnung auf den »Glanz, der unverlöschlich aus der Türe des Gesetzes bricht« oder auf die Gottähnlichkeit der »Grundnorm« setzen. Mit Glanz und Grundnorm immerhin haben beide, K. und K., das ohnehin offene Tor des Gesetzes einen Spalt geöffnet. Doch vermutlich nicht für den Mann vom Land, der vergeblich Eintritt begehrt, und auch nicht für die Juristen, die ebenso vergeblich Kraft, Vermögen, Gewalt und Macht hinter den Worten des Gesetzes suchen. Eher für das Gesetz selbst, das seinem ewig dunklen Gefängnis zu entkommen sucht?

206 Gilles Deleuze, Félix Guattari: *Kafka. Für eine kleine Literatur*. Frankfurt am Main 1976, S. 60.

1934. Kelsens *Reine Rechtslehre* erscheint in der ersten Auflage. Ende 1934, am 21. und 28. Dezember, publiziert die »Jüdische Rundschau«: »Franz Kafka. Eine Würdigung«. Autor des Artikels zur zehnten Wiederkehr von Kafkas Todestag ist Walter Benjamin, derzeit im Exil in Paris. Er, der früh und anhaltend Kafkas Texte studierte, hat viel Mühe auf seine »Würdigung« verwandt, seine Ansichten mit Gershom Scholem, Theodor Adorno, Bertolt Brecht und anderen diskutiert, den Artikel mehrfach überarbeitet und doch notiert: »Im übrigen glaube ich, dass Kafkas Wert [Werk?] überhaupt verschlossen ist und dass jede Erklärung seine, Kafkas, Intentionen verfehlen muss. Den Schlüssel hat er mit sich genommen, ja vielleicht nicht einmal das, wir wissen es nicht.«[207] Benjamin sitzt eben dort, wo Kafka den Mann vom Lande und zugleich seine Leser platziert hatte: auf dem Schemel vor der offenen Tür des verschlossenen Textes. Gleichwohl: Sensibel und trefflich würdigt Benjamin »die Größe dieses Schriftstellers«, verzeichnet Kafkas anhaltende Neigung zum Thema des unsichtbaren, unzugänglichen, unbekannten Gesetzes und dessen gespenstischen Verwaltern und berichtet von den abgründigen Gesetzesübertretungen derjenigen, die nicht ahnen, was sie tun, und nie erfahren, was sie taten. Eine würdige Würdigung durch einen kongenialen Kopf.

Walter Benjamin hatte – darauf spielt er in seinem Essay zu Kafka und in seinen begleitenden Aufzeichnungen mit keinem Wort an – sich selbst mehr als zehn Jahre

---

207 *Benjamin über Kafka* (Anm. 170), dort S. 9 ff., die Würdigung zur zehnten Wiederkehr des Todestages; S. 63 ff. die Korrespondenzen und S. 144 das Zitat aus seinen Aufzeichnungen zum Essay 1934. Siehe ferner Willem van Reijen, Herman van Doorn: *Aufenthalte und Passagen. Leben und Werk Walter Benjamins. Eine Chronik*. Frankfurt am Main 2001, S. 146 ff.

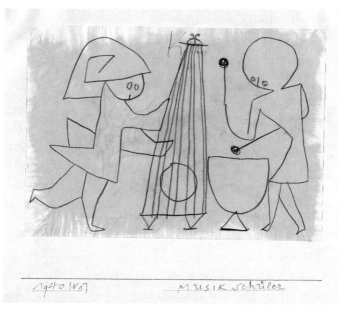

Paul Klee, Musik Schüler, 1940, 77
Kreide auf Papier auf Karton, 20,9 x 29, 4 cm, Zentrum Paul Klee, Bern

zuvor intensiv auf das Gesetz eingelassen. Mit einem Text, der Wirkung und vor allem ungeahnte Spätfolgen erzeugen sollte: *Zur Kritik der Gewalt*, 1921.[208] Nicht um jegliche physische Gewalt ging es Benjamin, sondern um Gewalt in ihrem Verhältnis zu »Recht und Gerechtigkeit«. Recht, das hatte Benjamin auch ohne Jurastudium erfahren, hat seine naturrechtlichen Sicherheiten eingebüßt und ist, seitdem es positiv wurde, umso prekärer geworden. Denn positives Recht kann, orientierungslos und blind für die Unbedingtheit welcher Zwecke und Ziele auch immer, nur noch recht-

208 Walter Benjamin: *Zur Kritik der Gewalt und andere Aufsätze*. Mit einem Nachwort von Herbert Marcuse. Frankfurt am Main 1965, S. 19–65.

95

mäßige und unrechtmäßige Gewalt unterscheiden. An die Stelle dieser formal korrekten, aber inhaltsleeren Unterscheidung setzt Benjamin zunächst eine andere: rechtsetzende und rechtserhaltende Gewalt. Mit Gewalt *setzen* Recht anarchistische Kräfte, der politische Generalstreik, der Krieg, die Parlamente – wenn sie sich denn, was nach Benjamins Meinung in der frühen Weimarer Republik nicht der Fall ist, ihrer revolutionären Kräfte besinnen würden. Mit Gewalt *erhalten* Recht, so Benjamin, die Todesstrafe, die Wehrpflicht und – im Prinzip – die Polizei, wenngleich »das Schmachvolle« an dieser ist, dass sie die Grenze missachtet, nämlich Recht erhält und zugleich Recht setzt.

Die Vermischung rechtsetzender und rechtserhaltender Gewalt ist aber insofern nicht katastrophal, als Benjamin diese Unterscheidung selbst zurückdrängt zugunsten einer weiteren Differenz: Ursprung und Begründung des Rechts sind »mythische« Gewalt (zu der sowohl die rechtsetzende als auch die rechtserhaltende gehört) und »göttliche« Gewalt. Mythische Gewalt entscheidet durch Macht über die Berechtigung von *Mitteln* – so etwa die »Staatsmacht« über den Einsatz von rechtmäßiger Gewalt. Göttliche Gewalt hingegen trifft die Entscheidung über die Gerechtigkeit von *Zwecken*. Mythische Gewalt setzt und erhält Recht, droht, verschuldet, ist auf blutige Weise am Werk, fordert Opfer. Göttliche Gewalt hingegen vernichtet Recht, entsühnt, schlägt auf »unblutige Weise letal«, nimmt Opfer an. In messianischer und, wie man später zu erkennen glaubt, prophetischer Weise kündigt Benjamin ein »neues geschichtliches Zeitalter« an. Dieses wird sich »auf die Entsetzung des Rechts, samt den Gewalten, auf die es angewiesen ist ...« begründen müssen. Denn »verwerflich ... ist alle mythische Gewalt, die rechtsetzende, welche die schaltende genannt werden darf. Verwerflich auch die rechtserhaltende, die verwaltete Gewalt, die ihr dient. Die göttliche Gewalt, welche Insignium und Siegel, niemals Mittel heiliger Vollstreckung ist, mag die waltende heißen.« Ein coup de théâtre,[209] dieser letzte namenspielerische Satz. Oder auch – respektloser – die Fanfare der »Battle Hymn of the Republic.«[210] Jedenfalls ein wirksames Finale eines Essays, der jegliche legitime, begründbare Zweck-Mittel-Relation der Gewalt des irdischen Gesetzes radikal verwirft und die Welt des neuen Zeitalters der letalen göttlichen Gerechtigkeit überlässt, einer Gewalt, die »für den Menschen unentzifferbar, unleserlich und folglich jeder rationalen Begründung entzogen« ist.[211]

1940. Hans Kelsen und seine Familie verlassen Genf und erreichen via Marseille in Lissabon das Schiff in die USA. Im Sommer kommen sie in Cambridge, MA, an. Wenig später ist eine kleine Emigrantengruppe auf dem Weg von Marseille nach Lissabon. Nelly, Heinrich und Golo Mann, Alma Mahler-Werfel und Franz Werfel gelingt es, am 13. September 1940 die französisch-spanische Grenze in Port Bou zu passieren. Einen Monat später kommen sie in New York an.[212]

---

209 Jacques Derrida: *Gesetzeskraft. Der »mystische Grund der Autorität«.* Aus dem Französischen von Alexander García Düttmann. Frankfurt am Main 1991.

210 Dominick LaCapra: *Gewalt, Gerechtigkeit und Gesetzeskraft,* in: Anselm Haverkamp (Hg.): *Gewalt und Gerechtigkeit. Derrida – Benjamin.* Frankfurt am Main, S. 143 ff., S. 155: »insbesondere die Zeilen, die sich um ›His terrible swift sword‹ drehen« [»Mine eyes have seen the glory of the coming of the Lord … / He hath loosed the fateful lightning of His terrible swift sword: / His truth is marching on. / Glory, glory, hallelujah! …«].

211 Rudolf Maresch: *GespensterVerkehr. Derrida liest Benjamins »Zur Kritik der Gewalt«,* S. 9. http://www.rudolf-maresch.de/texte/6.pdf

212 Alma Mahler-Werfel: *Mein Leben.* Frankfurt am Main 1960 / 1990, S. 313–321. Ich danke Oliver Brupbacher für den Hinweis.

»Ich höre, dass du die Hand gegen dich erhoben hast
Dem Schlächter zuvorkommend.
Acht Jahre verbannt, den Aufstieg des Feindes beob-
achtend
Zuletzt an eine unüberschreitbare Grenze getrieben
Hast du, heißt es, eine überschreitbare überschritten ...«

Bertolt Brechts Nachruf auf Walter Benjamin,[213] der
sich auf denselben Weg wie die Kelsens, die Manns und
die Werfels gemacht hatte. Die Franzosen ließen ihn nicht
ausreisen, die Spanier nicht einreisen. Er nahm sich in Port
Bou in der Nacht vom 26. auf den 27. September 1940
das Leben. Der Autor der göttlichen Gewalt, welche »die
waltende« heißen mag, wurde als »Benjamin Walter« auf
dem katholischen Teil des örtlichen Friedhofs bestattet.[214]

Ein halbes Jahrhundert nach Benjamins Tod, im April
1990, findet an der University of California, Los Angeles,
ein Kolloquium statt unter dem Titel: »Nazism and the
›Final Solution‹: Probing the Limits of Representation«.
Jacques Derrida spricht über die »Kritik der Gewalt«.[215] Ein
»unruhiger, rätselhafter und furchtbar zweideutiger Text«
des Walter Benjamin wird ein sperriges und doch williges
Opfer der Dekonstruktion. Dabei ist es im Prinzip nicht
wenig, was Derrida mit Benjamin vereint. Sicherlich die

---

213 *Zum Freitod des Flüchtlings W. B.*, in: Bertolt Brecht: *Ausgewählte Gedichte.*
Frankfurt am Main 1964, S. 62.

214 van Reijen, van Doorn: *Aufenthalte* (Anm. 207), S. 225.

215 *Gesetzeskraft* (Anm. 209), Teil II (S. 60 ff.). Der Text war bereits bei einem Kol-
loquium an der Cardozo Law School im Oktober 1989 in Umlauf, wurde von
Derrida aber erst in der Konferenz im April 1990 vorgetragen. Eine Flut von
Kommentaren dazu findet sich in: Haverkamp (Hg.): *Gewalt und Gerechtigkeit*
(Anm. 210). Für den juristischen Gerechtigkeitsdiskurs gut aufgearbeitet sind die
Grundthesen (und Verhängnisse) in Derridas *Gesetzeskraft* von Thomas Oster-
kamp: *Juristische Gerechtigkeit*. Tübingen 2004, S. 254–280.

De-Ontologisierung der Welt, die Auflösung auch des ver-
dinglichten Gesetzes, die »entmutigende Erfahrung von der
letztlichen Unentscheidbarkeit aller Rechtsprobleme«, die
Sinnlosigkeit der Frage nach einem begründenden oder
begründeten Anfang. Vor dem Gesetz bleibt jedermann stehen, weil hinter dem Gesetz nichts ist. Hinter dem Gesetz
ist auch kein Gott und keine Grundnorm. Die Leere hinter
dem Gesetz bekommt bei Derrida denselben Namen wie
schon bei Benjamin: Gewalt. »Weil sie sich definitionsge-
mäß auf nichts anderes stützen können als auf sich selbst,
sind der Ursprung der Autorität, die (Be)gründung oder
der Grund, die Setzung des Gesetzes in sich selbst eine
grund-lose Gewalt(tat).«[216] Gewalt, so kann man auch
sagen, »ist irgendwie ein Kennzeichen für die Aporie und
ein Name für das Unentscheidbare.«[217] Gewalt, so wollen
wir sagen, ist der Begriff, der die Ausgangsparadoxie
gewaltsam aufzulösen bestimmt ist. Wenn hinter dem
Gesetz kein Grund für das Gesetz zu finden ist, dann heißt
das Grundlose »Gewalt«, hinter der kein Grund, sondern
nur – differenzlos – sie selbst steht.

Doch an diesem Punkt ursprünglicher Gewalt, an dem
Benjamin Zuflucht zur reinen göttlichen Gewalt nahm,
beginnt erst Derridas Arbeit der Dekonstruktion.[218] Gewalt
ist nicht nur den Entscheidungen des Rechts inhärent, sondern dem menschlichen Urteilen an sich, das sich rundum

216 *Gesetzeskraft* (Anm. 209), S. 29.

217 LaCapra (Anm. 210), S. 148.

218 Gründliche Exegesen der Exegese Derridas zu Benjamin bieten an Rodolphe
Gasché: *Über Kritik, Hyperkritik und Dekonstruktion. Der Fall Benjamin*, und
Bettine Menke: *Benjamin vor dem Gesetz: Die »Kritik der Gewalt« in der Lektüre
Derridas*, beide in Haverkamp (Hg.): *Gewalt und Gerechtigkeit* (Anm. 210),
S. 196–216 und S. 217–275.

auf unbegründbare Gewissheiten, Autoritäten und letzte Gründe zu stützen pflegt. Gerechtigkeit übt allein, wer den Verästelungen, Verwandlungen, Aufschüben des Textes und des Gesetzes nachspürt, wer allen ererbten Selbstverständlichkeiten den Kredit entzieht, wer Grundlagen und Grenzen unseres begrifflichen, theoretischen, normativen Apparats unter Dauerbefragung stellt. Benjamin hingegen hat in Derridas Lektüre *entschieden*, und zwar durch Unterscheidungen entschieden, die »sich selbst dekonstruieren« (wie die von rechtsetzender und rechtserhaltender Gewalt) oder, schlimmer, eine unheilvolle Differenz setzen: Die Verabschiedung der irdischen Gewalt zugunsten der göttlichen Gewalt, wodurch die letzte Bastion der Aufklärung fahrlässig und unverantwortlich preisgegeben wird. In seinem energischen Nachwort wirft Derrida die Frage auf, was Walter Benjamin im Rahmen der Logik seines Textes, der von letaler, unblutiger, Opfer entgegennehmender göttlicher Gewalt spricht, »vom Nazismus und von der Endlösung gedacht hätte.«[219] Und beschließt die Exegese mit dem Verdikt, dass die »Kritik der Gewalt« zu sehr dem ähnelt, »wogegen man handeln und denken, wogegen man etwas tun und etwas sagen muss.«[220]

Das ist eine deutliche Entscheidung gegen den Text von Benjamin und dessen Unterscheidungen. Getroffen von dem Protagonisten des Unentscheidbaren Jacques Derrida. Getroffen von einem liebevollen Kafka-Exegeten und Seelenverwandten des Mannes vom Lande: »Entscheidet er, auf den Eintritt zu verzichten, nachdem er zunächst entschlossen schien einzutreten? Keineswegs. Er entscheidet,

219 Postscriptum, *Gesetzeskraft* (Anm. 209), S. 115.
220 Ebd. S. 124.

noch nicht zu entscheiden, er entscheidet, sich nicht zu entscheiden, er entscheidet sich, nicht zu entscheiden, er ver-
tagt, er schiebt hinaus, indem er wartet … Es ist möglich, …
jetzt aber nicht.«[221] Kafkas unfassliches »Dazwischen« in
Raum und Zeit trägt nun, bei Jacques Derrida, den Namen
»différance«, die unmerkliche Verschiebung einer Unterscheidung in Zeit und Raum. Die *différance* duldet ebenso
wenig wie Kafkas Erzählung das Absolute und das Feste,
sie bestreitet den Primat des Realen gegenüber dem Laten-
ten, bricht mit der unbegründeten und unbegründbaren
Autorität und huldigt dem Abwesenden und Anderen. »Die
Dekonstruktion ist die Gerechtigkeit«.[222] Gerecht, weil sie
das »Endurteil« meidet, weil sie Ausweglosigkeiten nicht
übersieht und nicht vernichtet, sondern mit ihnen lebt – ja,
»Aporien sind die bevorzugte Gegend, der bevorzugte Ort
der Dekonstruktion«.[223] Zum Beispiel die Aporie, dass
die richterliche Entscheidung »das Gesetz erhalten und es
zugleich so weit zerstören oder aufheben muss, dass sie es in
jedem Fall wieder erfinden und rechtfertigen muss«,[224] oder
dass »jedem Entscheidungs-Ereignis … das Unentscheidbare wie ein Gespenst inne(wohnt), wie ein wesentliches
Gespenst.«[225] Nicht nur, möchte man hinzufügen, jedem

---

221 Derrida: *Préjugés* (Anm. 188), S. 51.

222 Ebd. S. 30.

223 Ebd. S. 44. Hilfreich dazu Thomas-Michael Seibert: *Dekonstruktion der Gerechtigkeit: Nietzsche und Derrida*, in: Sonja Buckel, Ralph Christensen, Andreas
Fischer-Lescano (Hg.): *Neue Theorien des Rechts*. Stuttgart 2006, S. 29–55.

224 Derrida: *Préjugés* (Anm. 188), S. 47.

225 Ebd. S. 50 f. – Ein Gespenst zeichnet sich dadurch aus, dass es kein »Dasein« hat,
»aber es gibt auch kein Dasein ohne die beunruhigende Fremdheit, ohne die
befremdende Vertrautheit (*Unheimlichkeit*) irgendeines Gespenstes.« Jacques
Derrida: *Marx' Gespenster*. Aus dem Französischen von Susanne Lüdemann.
Frankfurt am Main 1996, S. 162.

»Entscheidungs-Ereignis«, sondern jedem »Unterscheidungs-Ereignis«, also unvermeidlich jeder Operation sowohl des menschlichen Denkens als auch des Rechts.

Benjamin und Derrida haben in die Gründungsparadoxie des Gesetzes hineingehorcht und ein Lied von Gewalt vernommen, Benjamin durchaus noch unter dem Eindruck der 1921 unübersehbaren physischen Gewalt und in Erwartung eines neuen Zeitalters, Derrida in der epistemologischen Not, welche ihm die Dekonstruktion aller Letztbegründungen und die Erkenntnis der Grundlosigkeit jeder Ent- und Unterscheidung bescherte. Benjamin beendet das Chaos, in welchem Gewalt ihre Fratze zeigt, mit Gerechtigkeit, und Derrida tut es ihm gleich. Benjamins Gerechtigkeit ist göttlich, Derridas Gerechtigkeit ist die Dekonstruktion. Die göttliche Gerechtigkeit ist den Menschen entzogen, die dekonstruktivistische ist immerhin von dieser Welt, »machbar« und zu praktizieren. Das lässt Hoffnung aufkommen, dass sie ethisch und politisch sympathisch praktiziert wird. Das erklärt auch, warum Derrida – trotz allem! – eine »Entscheidung« gegen Benjamins Text treffen kann. Ein wie ein Gespenst aus einer anderen Welt anmutendes Wort des Jacques Derrida ist »Verantwortlichkeit« – Verantwortung vor der Vergangenheit und dem Futurum, vor den Toten, Lebenden und Zukünftigen, vor dem Anderen und Unsichtbaren.[226] Doch sind »Verantwortung« und »Gerechtigkeit« alles andere als archime-

---

226 »Keine Gerechtigkeit scheint möglich oder denkbar ohne das Prinzip einer Verantwortlichkeit, jenseits jeder lebendigen Gegenwart, in dem, was die lebendige Gegenwart zerteilt, vor den Gespenstern jener, die noch nicht geboren oder schon gestorben sind, seien sie nun Opfer oder nicht: von Kriegen, von politischer oder anderer Gewalt, von nationalistischer, rassistischer, kolonialistischer, sexistischer oder sonstiger Vernichtung …« *Marx' Gespenster* (Anm. 225), S. 11 f.

dische Punkte. Sie unterliegen ihrerseits, selbstverständlich, der Dekonstruktion – und zwar aus Gründen der Verantwortung: »Man muss der Gerechtigkeit gegenüber gerecht sein.«[227]

Glanz, Grundnorm, Gewalt, Gerechtigkeit. Der unverlöschliche Glanz, in dem sich das Gesetz jenseits des menschlichen Zugriffs sonnt. Die gottähnliche, unbeobachtbare Grundnorm, die dem Gesetz zur Existenz verhilft. Die mythisch-mächtige oder göttliche Gewalt, die auf dem Grund des unbegründbaren Gesetzes haust. Die Gerechtigkeit der Dekonstruktion, die dem Gesetz allen festen Grund raubt, um ihn durch Verantwortung zu substituieren. Vier großartige Versuche der klassischen Moderne und der Postmoderne, die sich in ihrer je eigenen literarischen, juristischen, philosophischen, politischen Form dem Gesetz und seinem Ursprung nähern. Doch das Gesetz entzieht sich, verwandelt sich ins Hypothetische, weicht Gott, mutiert zum Gespenst. Gleichwohl »gibt« es bei Kafka, Kelsen, Benjamin und Derrida das Gesetz, wie unerkennbar, wie unbegründbar auch immer: »Es gibt Gesetz, ein Gesetz, das *nicht da ist, das es aber gibt.*«[228] Woraus sonst könnte denn unerwartet ein Glanz erstrahlen, eine Grundnorm ertönen, Gewalt schreien oder Gerechtigkeit erklingen? Die vier großen »G«, die dem Gesetz im Lauf des 20. Jahrhunderts attribuiert und supplementiert wurden, sind späte Zeugen einer sehr alten närrischen Liebe zum Gesetz und neue Zeugen vom Leiden am Gesetz.

227 *Gesetzeskraft* (Anm. 209), S. 40.
228 Derrida: *Préjugés* (Anm. 188), S. 65.

Und sind Kamele, lauter zwölfte Kamele.[229] Der wohlhabende Beduine bestimmte in seinem Testament, dass sein ältester Sohn, Achmed, die Hälfte seines Vermögens erben, der mittlere Sohn, Ali, ein Viertel erhalten solle und der jüngste, Benjamin, sich mit einem Sechstel begnügen müsse.[230] Als es an die Teilung der Erbschaft ging, belief sich diese auf nur noch elf Kamele. Achmed beanspruchte sechs von diesen, was, weil mehr als die Hälfte, umgehend zum Streit mit seinen Brüdern führte. Der weise Richter erlaubte sich den Vorschlag: Ich stelle euch drei Brüdern eines meiner Kamele zur Verfügung. Teilt das Erbe und gebt mir dann, so Allah will, mein Kamel zurück. Achmed erhielt sechs, Ali drei, Benjamin zwei Kamele, und alle drei waren darob zufrieden. Ob das zwölfte Kamel je zurückgegeben wurde, wissen wir nicht. Jedenfalls hatte es seinen Dienst, einen unentscheidbaren Fall friedlich zu entscheiden, getan. Und zwar gleich, ob es wirklich da war oder nur als fiktives einkalkuliert wurde. Hauptsache, es war ein erbschafts-, familien- und systemfremdes Kamel.

Kelsen konnte die Paradoxie, dass Recht sich nur aus Recht begründet, nur mit Hilfe einer *außerhalb* des Rechts stehenden Figur entfalten. Seine Grundnorm ist ein aus der Welt der Wissenschaft entführtes Kamel, welches, einmal zur Paradoxieentfaltung eingesetzt, hypothetisch bleiben oder in seine Heimatoase zurückkehren darf. Seine Zeitgenossen und rechtstheoretischen Gegner holten »Natur«, »Gründe«, »Interessen« zur Hilfe, um der Unentscheidbar-

---

229 Niklas Luhmann: *Die Rückgabe des zwölften Kamels. Zum Sinn einer soziologischen Analyse des Rechts*. Der 1985 entstandene Text wurde posthum veröffentlicht von Gunther Teubner (Hg.): *Die Rückgabe des zwölften Kamels. Niklas Luhmann in der Diskussion über Gerechtigkeit*. Stuttgart 2000, S. 3–60.

230 Zu wessen Gunsten der Beduine über das restliche Zwölftel seines Vermögens verfügte, ist unbekannt, für den Verlauf der Geschichte aber auch unerheblich.

keit des Rechts durch Recht zu entkommen. Lauter Aushilfskamele, die zudem die Neigung hatten, nicht wieder wegzugehen, sondern sich im Recht gemütlich einzurichten. Als eines dieser Kamele, namens »gute Gründe«, alt und verbraucht erschien, wurde es durch ein frisches ersetzt: »Verfahren«. Nicht die – unentscheidbare – Qualität der Gründe, sondern der faire Gebrauch derselben sollte die Rechtsentscheidung, wo schon nicht begründen, so doch legitimieren. Also Regeln über den geordneten Auftritt und disziplinierten Abgang von Kamelen, Regeln, die sich ihrerseits dem unverwüstlichen Leitkamel Vernunft verdanken.

Und wenn wir alle Leihkamele in die Wüste schicken? Dann bleiben die elf reinen Rechtskamele allein und sind außerstande zu entscheiden, warum es Recht und nicht Unrecht ist – oder vielleicht doch: warum es Unrecht und nicht Recht ist? –, nach Recht und Unrecht zu entscheiden. Manche, und wohl die meisten Juristen, benötigen diese Entscheidung allerdings gar nicht. Sie begnügen sich damit, die Codierung Recht/Unrecht – in Urteilen, Kommentaren, Vertragswerken, Rechtsschriften – einzusetzen, sie, im Vergleich etwa zu Prügeln oder zu Palavern, als »immense Vorteilhaftigkeit« in der Zivilisation der Gesellschaft zu begreifen und, in der Regel, zu begrüßen. Philosophische Störenfriede waren und sind es, welche die Paradoxie immer noch nicht aushalten. Benjamin und Derrida schleppen das zwölfte Kamel der Gewalt herbei, den Stammvater aller anderen elf Kamele. »Aber wieso nennt man dies Gewalt, und was ist diese Gewalt – wenn nicht der Ressentimentbegriff eines Schriftstellers?«[231] Dann schon lieber

---

231 Luhmann: *Rückgabe* (Anm. 229), S. 17.

Gerechtigkeit. Doch ist diese in ihrem dekonstruktivistischen Gewand für das Rechtssystem offensichtlich unbrauchbar. Denn jede Klägerin und jeder Beklagte würde in der *différance* stecken bleiben und so lange vor der Tür des Gerichts sitzen wie ihr Leidensgenosse vom Lande. Ein Rechtssystem, das unter Entscheidungszwang steht, kann sich auf die Negation der Möglichkeit des Entscheidens nicht einlassen, nicht einmal auf die Suspension des Entscheidens. Also ist nicht die Gerechtigkeit der Dekonstruktion gefragt, sondern »materiale« Gerechtigkeit, wie sie dem Recht als Daseinsgrund und oberstes Leitprinzip traditionell zugeschrieben wird.[232] Diese steht allerdings unter dem Verdacht, auch nur ein zwölftes Kamel zu sein, ein ehrwürdiges, aber so betagtes Kamel, dass es seine Dienste schon lange nicht mehr erbringen kann: »Gerechtigkeit! War sie ein anbetungswürdiger Begriff? Ein göttlicher? Ein Begriff ersten Ranges? Gott und Natur waren ungerecht, sie hatten Lieblinge … Gerechtigkeit war selbstverständlich eine leere Worthülse der Bürgerrhetorik.«[233] Auch und erst recht eine Hülse des Rechts. Im Jahr 1973 liest man, dass »die Idee der Gerechtigkeit im juristischen Denken ihre operative Bedeutung und damit ihre Normativität verloren hat.« »Diese Auffassung findet sich mustergültig zu Ende geführt bei Hans Kelsen, Das Problem der Gerechtigkeit …«[234] (Dass Kelsen diese Anerkennung aus berufener und

---

232 Hans Welzel: *Naturrecht und materiale Gerechtigkeit*, 4. Auflage. Göttingen 1962.

233 Naphta in Thomas Mann: *Der Zauberberg*. Frankfurt am Main 1924 (5. Auflage 2005), S. 950.

234 Niklas Luhmann: *Gerechtigkeit in den Rechtssystemen der modernen Gesellschaft*, in: Rechtstheorie 4 (1973) S. 131–167; Ndr. in: Niklas Luhmann: *Ausdifferenzierung des Rechts*. Frankfurt am Main 1981, S. 374–418; hier: Ndr. S. 377 mit Fußnote 6.

kundiger Feder noch zur Kenntnis nahm, ist unwahrschein-
lich. Er starb fernab von Bielefeld im selben Jahr 1973.)

Zwanzig Jahre später, 1993, wiederholt Niklas Luhmann[235] die These, die Idee der Gerechtigkeit habe ihre
Normativität eingebüßt, in theoretisch geschärfter Form.
Das Rechtssystem reproduziert sich selbst durch Sequen-
zen von Operationen (Kommunikationen, Entscheidungen, Normsetzungen etc.). Zugehörigkeit zum System
konstituiert sich durch die Codierung Recht/Unrecht. Bei-
gefügt werden der Codierung Programme, zum Beispiel
Gesetze oder Verträge, nach denen die Negativ- und Posi-
tivwerte zu vergeben sind. Sie haben idealerweise die
konditionale Form »Immer wenn, dann …« oder werden
mithilfe von Dogmatik, Rechtsprechung, Kommentaren,
Prinzipien und Regeln in diese Form gebracht. Je besser all
dies gelingt – und wer wollte bezweifeln, dass Recht, so wie
hier grobschlächtig beschrieben,[236] seit langem funktioniert? –, desto leichter ist auf »Gerechtigkeit« zu verzichten,
ja, desto schwieriger wird es, überhaupt einen Platz für sie
zu finden. »Sie kann weder als dritter Wert neben Recht
und Unrecht hinzugefügt werden, noch bezeichnet sie eines
der Programme des Systems – so als ob es neben dem Bau-
recht und dem Straßenverkehrsrecht, dem Erbrecht und
dem Urheberrecht auch noch ein gerechtes Recht gäbe.«[237]

---

235 *Das Recht der Gesellschaft*. Frankfurt am Main 1993, darin Kapitel 5, S. 214–238:
»Kontingenzformel Gerechtigkeit«.

236 Ausführlicher und sorgfältig beschrieben von Osterkamp: *Juristische Gerechtigkeit* (Anm. 215), S. 121 ff. Osterkamp neigt allerdings dazu, Luhmann normative Ansprüche zu unterstellen (z. B. Luhmanns »Postulat der operativen
Geschlossenheit«, S. 136, oder »Luhmann will also verhindern …«, S. 144), was
insofern irritiert, als Luhmann nichts anderes wollte (und tat), als beobachten,
wie das Rechtssystem die Welt und sich selbst beobachtete.

237 *Das Recht der Gesellschaft* (Anm. 235), S. 216.

Und in der Tat: Über Gerechtigkeit spricht man selten im Recht. Und noch viel seltener von nackter Gerechtigkeit.[238] Das prüde Recht – Gerichtsurteile, Gesetzeskommentare (Anwälte genieren sich ohnehin, die Gerechtigkeitsflagge zu hissen) – kleidet sie flugs ein, was im Deutschen durch Komposita leicht gelingt: Beitragsgerechtigkeit, Verfahrensgerechtigkeit, Sachgerechtigkeit, Kostengerechtigkeit, Einzelfallgerechtigkeit, Systemgerechtigkeit, Belastungsgerechtigkeit, Typengerechtigkeit, Verteilungsgerechtigkeit, Lohngerechtigkeit oder Steuergerechtigkeit.[239] Gerechtigkeit pur wird von aufgeklärten, pragmatischen, ideologiefreien Juristen aus dem Recht verbannt und allenfalls in dessen Umwelt, vorzüglich in die Ethik, verwiesen. Das Recht hat, so scheint es, sein letztes zwölftes Kamel eingebüßt, mit dessen Hilfe es seine Paradoxie entfalten könnte. Die elf reinen Rechtskamele trampeln auf der Stelle.

Und das, obwohl doch der Ruf nach Gerechtigkeit keineswegs aus unserer Welt verschwunden ist, sondern je

238 Und wo dies der Fall ist, gerinnt Gerechtigkeit zur Formel; so in der Abwägung von »materialer Gerechtigkeit und Rechtssicherheit« (z. B. BVerfG v. 14. 9. 2006, 2 BvR 429/06) oder, insbesondere zur Dogmatik des »Wegfalls der Geschäftsgrundlage«, wenn die strikte Anwendung einer Norm »zu einem untragbaren, mit Recht und Gerechtigkeit schlechthin nicht mehr zu vereinbarenden Ergebnis« führen würde (z.B. BGHZ v. 25. 11. 2004, I ZR 49/02; BGHZ v. 22. 12. 2004, VIII ZR 41/04). Dem entspricht in der Schweizer Rechtsprechung die generelle »Willkürklausel«: Ein Fall von Willkür (der Gerichte, des Gesetzgebers oder der Behörden) liegt vor, wenn ihr Entscheid »mit der tatsächlichen Situation in klarem Widerspruch steht, eine Norm oder einen unumstrittenen Rechtsgrundsatz krass verletzt oder in stossender Weise dem Gerechtigkeitsgedanken zuwiderläuft« (z.B. BGE 122 I 61; 121 I 113).

239 http://www.lexisnexis.com/de/recht ergibt für die Rechtsprechung deutscher und europäischer Gerichte in den letzten fünf Jahren (abgerufen am 19. 2. 2007) 1699 Treffer »Gerechtigkeit«, von denen rund 90 % Komposita sind. Spitzenreiter mit 500 Treffern ist die Verwaltungsgerichtsbarkeit, gefolgt von der Sozialgerichtsbarkeit (343) und der Finanzgerichtsbarkeit (284). Die Verfassungsgerichtsbarkeit und die Strafgerichtsbarkeit sind wider Erwarten zurückhaltend (89 resp. 75). Zivil- und Arbeitsgerichtsbarkeit liegen im Mittelfeld (196 resp. 163).

größer die Welt geworden ist, umso lauter ertönt. Und das, obwohl doch niemand, der oder die im oder über Recht kommuniziert, bezweifeln würde: »Das Rechtssystem will sich selbst, was immer die Fakten, als gerecht.«[240] Wohin also mit Gerechtigkeit? Ist es nicht allzu billig, sie aus dem Recht abzuschieben?[241] Und ist es nicht allzu fruchtlos, sie den »hektischen Iterationsbewegungen der *différance*« auszusetzen, die sich selbst permanent paradoxieren?[242] Hat Gerechtigkeit nicht doch einen zumindest theoretisch adäquaten Ort? Und wenn man schon nicht weiß, was sie *ist*, so könnte doch die Frage lohnen, was sie *tut*.

Ist Gerechtigkeit das »Programm der Programme« oder der »Supercode« des Rechts im Sinne von John Rawls?[243] Die Schwierigkeiten liegen auf der Hand: Das Superprogramm hat, seitdem man weiß, dass die »Natur ... in keinem verständlichen Sinne gerecht ist«, und seitdem Gott und Vernunft abhanden gekommen sind, keinen Maßstab, keine Richtschnur, keinen irgendwie fassbaren Inhalt, leidet also an Unbestimmbarkeit. Wollte man umgekehrt Gerechtigkeit derart mit Merkmalen auffüllen und bestimmen, dass sie als Selektionskriterium für Entscheidungen

---

240 Luhmann: *Das Recht der Gesellschaft* (Anm. 235), S. 217.

241 »Entgegen verbreiteten Vorurteilen verabschiedet Luhmann nicht etwa Gerechtigkeit als abgestandenes alteuropäisches Gedankengut ...« Gunther Teubner: *Ökonomie der Gabe – Positivität der Gerechtigkeit: Gegenseitige Heimsuchungen von System und différance*, in: A. Koschorke, C. Vismann (Hg.): *Widerstände der Systemtheorie. Kulturtheoretische Analysen zum Werk von Niklas Luhmann.* Berlin 1999, S. 199–212.

242 Eine glänzende Analyse der »Verhakungen«, Gemeinsamkeiten und Unverträglichkeiten von Systemtheorie und Dekonstruktion hat Teubner: *Ökonomie der Gabe* (Anm. 241) vorgelegt. Aufgegriffen, ausgebaut und um eine vergleichende Auseinandersetzung mit Rudolf Wiethölters »Punktationen« ergänzt wird diese Analyse von Gunther Teubner: *Der Umgang mit Rechtsparadoxien: Derrida, Luhmann, Wiethölter*, in: Chr. Joerges, G. Teubner (Hg.): *Rechtsverfassungsrecht.* Baden-Baden 2003, S. 25–46.

243 *Eine Theorie der Gerechtigkeit.* Frankfurt am Main 1975.

taugt, so wäre sie nur mehr eine Norm unter Normen, ein Konditionalprogramm unter vielen: »Immer wenn der Angeklagte einen Migrationshintergrund hat, soll der Richter im Namen der Gerechtigkeit das Strafmaß reduzieren ...« Das ist nicht gerecht, sondern primitiv.

Gerechtigkeit muss ihren Platz also irgendwo zwischen der Unbestimmbarkeit und der Bestimmbarkeit einnehmen. In einem »Dazwischen« – noch ein kafkaeskes »Dazwischen«, noch eine *différance*, noch ein blinder Fleck – befindet sich das Rechtssystem ja in jeder Gegenwart seiner Operationen. Im Augenblick des Entscheidens kann die Entscheidung immer so und auch anders ausfallen, die Treppe hinauf- oder hinunterfallen.[244] Gefällt wird das Urteil jedenfalls. Hilft die Formel »Gerechtigkeit«, die Kontingenz jeder Entscheidung[245] zu überbrücken oder zu verdecken? Schauen wir ihr bei der Arbeit zu. Da wird Gerechtigkeit seit langem auf Gleichheit heruntergebrochen. Auf den ersten Blick handelt man sich dadurch altaristotelische Probleme ein. Hat doch das Prinzip *suum cui-*

---

244 So wie der alte Gerichtsbeamte nach 24stündiger »wahrscheinlich nicht sehr ergiebiger Arbeit« an einem verwickelten Fall jeden Advokaten, der eintreten wollte, die Treppe hinunterwarf. »Die Advokaten sammelten sich unten auf dem Treppenabsatz und berieten was sie tun sollten; einerseits haben sie keinen eigentlichen Anspruch darauf eingelassen zu werden, können daher rechtlich gegen den Beamten kaum etwas unternehmen. ... Andererseits aber ist jeder nicht bei Gericht verbrachte Tag für sie verloren und es lag ihnen also viel daran einzudringen. Schließlich einigten sie sich darauf daß sie den alten Herrn ermüden wollten. Immer wieder wurde ein Advokat ausgeschickt, der die Treppe hinauf lief und sich dann unter möglichstem allerdings passivem Widerstand hinunterwerfen ließ, wo er dann von den Kollegen aufgefangen wurde.« Zum weiteren Verlauf der Geschichte: Franz Kafka: *Der Proceß* (Anm. 171), S. 125 f.

245 *Deshalb* spricht Luhmann von »Kontingenzformel« und nicht etwa, wie Ralf Dreier meint, weil »alle Vorstellungen darüber, was gerecht und ungerecht ist, historisch kontingent sind.« Ralf Dreier: *Niklas Luhmanns Rechtsbegriff*, in: Archiv für Rechts- und Sozialphilosophie 2002, S. 305–322 (S. 316).

que tribuere[246] ausgedient, seitdem *quis* nicht mehr durch Geburt oder Stand als gleich oder ungleich zu identifizieren ist, so dass auch das *suum* unbekannt bleibt. Umgekehrt ist das moderne Prinzip der Gleichheit aller Menschen offenbar auch untauglich, um Gerechtigkeit als Gleichheit zu üben. Wenn alle gleich sind, ist Individualität und Identität aufgehoben und damit die Basis entfallen, auf welcher man gleich/ungleich überhaupt unterscheiden könnte. Das Recht hat in dieser Zwicklage seine eigene Art entwickelt, mit gleich und ungleich zu hantieren. Nicht die tatsächlichen und individuellen Umstände pflegt es in der Betrachtung von gleich und ungleich zu berücksichtigen, sondern die juristisch relevanten Umstände der Fälle. Nicht ob der Kläger A krank, mächtig, benachteiligt, depressiv, randständig oder berühmt ist, ist ein Unterschied, der einen Unterschied macht. Entscheidungserheblich ist allein[247] die Frage, ob der *Rechtsfall* des Klägers A den *Rechts*fällen der Kläger B, C und D ungleich oder gleich ist. Wird Gleichheit in der *quaestio iuris* festgestellt, ist gleiches Entscheiden geboten. Gerechtigkeit heißt konsistent entscheiden – im Namen der Gleichheit, die zudem ein hohes Gut im Schlepptau hat: »Rechtssicherheit«. Operationen des Rechts werden also nicht nur widerspruchsfrei, sondern auch möglichst änderungsresistent aneinander angeschlossen. Eine unendliche

---

246 D. 1.1.10 (Ulpian): Iustitia est constans et perpetua voluntas ius suum cuique tribuendi: Gerechtigkeit bedeutet der beständige und immerwährende Wille, jedem sein Recht zukommen zu lassen.

247 Ausnahmen dazu gibt es insbesondere im Strafrecht, das dann allerdings auch leicht kapituliert oder kollabiert: »Was tun mit einem arbeitslosen, über beide Ohren verschuldeten Mann, der von Sozialgeldern lebt, sich als depressiv und alkoholkrank bezeichnet, der mehrmals stockbetrunken Auto gefahren und deswegen bestraft worden ist?« Im Fall exzessiver Individualität bleibt dann nur der Weg aus dem Recht in die Psychiatrie (den das Obergericht denn auch gegangen ist). *NZZ* vom 6. Februar 2007.

Geschichte des »Weitermachen wie immer« kündigt sich an.

Sie wird nicht gut enden. Denn schließlich hat das Recht eine Umwelt. In diese gehören nicht nur individuelle Juristen und Richterinnen. Mindestens so turbulent, überraschungsreich und anspruchsvoll, wie diese zu sein pflegen, ist die soziale Umwelt des Rechts. Da werden in der Wirtschaft brandneue Verträge erfunden, in der Erziehung die Maßstäbe umgekrempelt, in der Moral die Werte auf den Kopf gestellt, da verändert die Politik alltäglich ihre Ziele und Programme, verteilen globale Unternehmen Verluste und Gewinne um, da gewährt das Internet Zugang zur Welt oder schließt aus dieser aus, da werden Chancen und Risiken von Gesundheit und Lebensqualität durch Patente und Urheberrechte verteilt. Und all dieses Geschehen generiert Rechtsfragen am laufenden Bande – und ruft nach einer neuen Selbstbeschreibung des Rechts.[248] Denn Recht, das unter diesen Umständen im Zeichen von Gerechtigkeit = Gleichheit = konsistentes Entscheiden weitermacht wie immer, verblödet, erstarrt, versteinert – wird ungerecht. »Responsiv« auf die Zustände und Bedürfnisse der Gesellschaft soll das Recht reagieren, sich in seiner Autopoiesis irritieren lassen, seine kognitiven Fähigkeiten steigern und den Lärm seiner Umwelt in seine eigenen Strukturen übersetzen.[249] Das geht nur, wenn das Rechtssystem seine eigene

248 Eindrücklich dazu Andreas Fischer-Lescano, Gunther Teubner: *Regime-Kollisionen. Zur Fragmentierung des globalen Rechts*. Frankfurt am Main 2006.

249 Luhmann: *Das Recht der Gesellschaft* (Anm. 235), S. 225. Gunther Teubner: *Substantive and Reflexive Elements in Modern Law*, in: Law and Society Review 17 (1983) S. 239–285. Zum Konzept der Irritation (vor allem am Beispiel von Rechtstransfers) ders.: *Rechtsirritationen. Zur Koevolution von Rechtsnormen und Produktionsregimes*, in: Günter Dux, Frank Welz (Hg.): *Moral und Recht im Diskurs der Moderne*. Opladen 2001, S. 351–380.

Komplexität erhöht, wenn es mehr Möglichkeiten, mehr Variation zulässt, einfallsreich wird – und gleichwohl seine ureigenste Funktion, Erwartungen zu stabilisieren, nicht vergisst. »Es geht nicht einfach um Konsistenz rechtlicher Entscheidungen, sondern um höchstmögliche Konsistenz des Rechts bei *gleichzeitiger höchstmöglicher Erfüllung von extrem divergierenden Umweltanforderungen.*«[250] »Gerechtigkeit« kann bei dieser Nacht- und Nebelwanderung keine Orientierung geben. Aber mit dem Scheinwerfer Gerechtigkeit lässt sich die Wanderung beobachten[251] als ein Umherirren zwischen Konsistenz und Irritierbarkeit, als ein Austesten der Wege Redundanz durch Wiederholung oder Variabilität durch »Änderung der Rechtsprechung«. »Gerechtigkeit liefert selbst keine Kriterien, aber sie stellt eine Dauerprovokation dar für die einfache Kontinuierung alten Rechts.«[252] Als »gerecht« mag sich das Recht bezeichnen, das die Zumutungen seiner Umwelt weder kaltschnäuzig ignoriert noch besinnungslos integriert.

Gerechtigkeit war einst ein »Perfektionsbegriff«,[253] der als solcher nicht in Frage gestellt wird, ebenso wenig wie

---

250 Gunther Teubner: *Dreiers Luhmann*, in: Alexy (Hg.): *Integratives Verstehen* (Anm. 160), S. 199–211 (S. 201 f.; Kursive im Original).

251 Osterkamp (Anm. 215), S. 138 ff. hält dieses Beobachten (obwohl ein solches zweiter Ordnung) nur von einem »moralischen Standpunkt« aus bzw. nur unter Beachtung von »allgemeinen Prinzipien« samt ihrer »moralischen Tradition« für möglich. Er reduziert damit eine »Theorie *rechtsspezifischer* Gerechtigkeit« auf die Offenlegung der »moralischen Implikationen der eigenen Rechtsordnung« (S. 145) und führt dadurch stracks in die Grundparadoxie des Rechts zurück, welche er mithilfe des moralischen Kamels entfaltet. So tief verankert im Recht sieht Osterkamp die Moral, dass er sogar an dem Konzept von kognitiver Offenheit des Rechts (z. B. für Moralvorstellungen) und operativer Geschlossenheit (also der Verarbeitung solcher Vorstellungen nach rechtseigenen Kriterien) rütteln zu müssen meint. Ein Bauernopfer ohne erkennbaren Vorteil.

252 Teubner: *Dreiers Luhmann* (Anm. 250), S. 206.

253 Dazu Luhmann: *Gerechtigkeit*, 1973/1981 (Anm. 234), S. 378 ff.

Gott in der Religion, Knappheit in der Wirtschaft, Lernfähigkeit in der Erziehung, Wahrheitsfähigkeit in der Wissenschaft. Perfektionsbegriffe sind nicht steigerbar: Es gibt keine »gerechtere Gerechtigkeit«; sind nicht negierbar: Es gibt keine »ungerechte Gerechtigkeit«; sind nicht korrumpierbar: Es gibt keine »käufliche Gerechtigkeit«. Perfektionsbegriffe leisten ihren Dienst – Kontingenz zu absorbieren –, solange niemand nach ihren Gründen fragt, Kritik an ihnen übt, nach Alternativen sucht. Im Fall Gerechtigkeit wurde früh viel, zu früh zu viel, gefragt. Aufgefüllt wurde sie seit über zwei Jahrtausenden mit Forderungen nach dem rechten Maß und der Mitte, nach stabiler Korrespondenz vom Wesen des Rechts und der Natur, nach Gleichheit in der Verschiedenheit, nach gleichem Zulassen von Ungleichheit. Entlastet von all diesen Schwergewichten wurde Gerechtigkeit durch die Dekonstruktion – zugunsten einer nicht leichteren ethischen Bürde und intellektuellen Verantwortung. Bei Niklas Luhmann steht Gerechtigkeit nun da als schlanke Kontingenzformel, ohne Emotion, aber mit Präzision, ohne Grund, aber mit Wirkung, ohne Inhalt, aber mit Funktion: als Beobachtungsschema anderer Beobachtungen im Dienste adäquater Komplexität.

Das hat man davon, wenn man ein zwölftes Kamel verschmäht. Und es erstaunt nicht, dass normativitätshungrige Juristen damit unzufrieden sind.[254] Aber ein Kamel auszuleihen ist unzulässig und überflüssig, wenn man die Grundparadoxie der Begründung des Rechts aus dem Recht nicht mehr in Grundnorm, Gewalt, Gerechtigkeit, Gott, Glanz,

254 Ein Überblick bei Teubner: *Dreiers Luhmann* (Anm. 250), S. 199 f.; siehe auch Osterkamp (Anm. 215).

Gleichheit, Gesellschaftsvertrag, Grundgesetz[255] und was der großen G-Kamele mehr sind, zu verdrängen, zu invisibilisieren und aufzulösen trachtet, sondern als unvermeidlich hinzunehmen bereit ist.

Und was hat man dann davon? Mehr als eine neue Meinung, die doch auch nur Ausdruck der Verzweiflung über die Unveränderlichkeit der Schrift und des Problems ist? Mehr, oder zumindest anderes, als elf Kamele, die sich selbstreferentiell und ohne Hoffnung auf Erlösung im Kreise drehen? Man kann und muss sich, wenn man das zwölfte Kamel verabschiedet, damit begnügen,[256] die Bearbeitungen und Entfaltungen der Paradoxie des Rechts im Lauf der Geschichte zu beobachten.[257] Dann geht es »nur« noch um die Frage, welche dieser unendlich vielfältigen, immer neu geschaffenen und ziselierten, ausgetauschten, perfektionierten, wiederkehrenden Versuche, der Paradoxie zu entgehen,

255 Gesellschaftsvertrag und Grundgesetz wird man, auch wenn sie von den Protagonisten dieses Kapitels nicht thematisiert werden, hinzuzählen können. Gesellschaftsvertrag setzt voraus, was er begründen soll: Recht. »Grundgesetz«, das hier aus Alliterationsgründen für »Verfassung« steht, wurde schon von Kelsen als seinerseits begründungsbedürftige Norm erkannt. Zu den historischen Voraussetzungen und zur Funktion von Verfassung als Entparadoxierungsinstrument sowohl des Rechts als auch der Politik siehe Niklas Luhmann: *Verfassung als evolutionäre Errungenschaft*, in: Rechtshistorisches Journal 9 (1990) S. 176–220.

256 Eben diese Bescheidenheit fehlte einst Ralf Dreier, als er von Luhmann forderte, dem »Sitz im Leben« der Gerechtigkeitsidee und damit »vernünftiger« Begründung Raum zu geben, was unmittelbar zum zwölften Kamel zurückführen würde. Ralf Dreier: *Zu Luhmanns systemtheoretischer Neuformulierung des Gerechtigkeitsproblems*, in: Rechtstheorie 5 (1974) S. 189–200, Ndr. in: Ders.: *Recht – Moral – Ideologie* (Anm. 160), S. 270–285. Dass Gerechtigkeit ausschließlich als Schema der Beobachtung zweiter Ordnung dient, hat Dreier – trotz im Übrigen zustimmender Rekonstruktion von Luhmanns Rechtsbegriff – auch später nicht akzeptieren wollen. Siehe Ralf Dreier: *Luhmanns Rechtsbegriff* (Anm. 245), S. 315–319.

257 Knapp und erhellend dazu auch Niklas Luhmann: *The Third Question: The Creative Use of Paradoxes in Law and Legal History*, in: Journal of Law and Society 15.2 (1988) S. 153–165.

sie zum Verschwinden zu bringen, sie zu vergessen, sie zu entfalten in welcher Zeit unternommen wurden. Hat man nach gehöriger Anstrengung dann die Kamele aus über 2000 Jahren vor Augen, kann man weiterfragen, welche sozialen Sinnwelten ihnen zu verdanken sind und durch sie repräsentiert werden, welche Strukturen und Vorstellungen, Sehnsüchte und Verwerfungen, Weltsichten und Gesellschaftsformationen zu ihnen passen, sie hervorgebracht haben, sie vernichteten, sie enttäuscht in die Wüste schickten oder kleinlaut wieder einforderten. Und wenn dieses enorme historische Feld so hartnäckig und so genial erforscht wird, wie ein Niklas Luhmann dies tat, dann, und erst dann, erklingt ein ganz neues Lied. Nicht ein Lied im Gesetz, auch nicht ein Lied vom Gesetz. Man hört vielmehr ein Lied – viele wundersame Lieder – der Gesellschaft von ihrem Recht.

5. Das Lied nach dem Gesetz

Im Jahr 604 v. Chr. verließ die Athener der Mut. Lange hatten sie um die liebliche und strategisch wichtige Insel Salamis gekämpft, ohne Erfolg. Nun zogen sie sich erschlafft zurück und erließen auch gleich ein Gesetz, welches jedermann unter Androhung der Todesstrafe verbot, in Wort oder Schrift für die Wiederaufnahme des Kriegs einzutreten. Ein junger Mann schämte sich für die Feigheit der Athener. Welche Schmach, die Insel aufzugeben! Er beeilte sich, viele Verse zu verfassen, die zu Courage und Entschlossenheit aufforderten, lernte sie auswendig, verbreitete alsdann das Gerücht, er sei wahnsinnig geworden, setzte sich ein Hütchen auf den Kopf und eilte zur Agora. »Die Ordnung der Worte zu *Gesang* statt *Rede* mir setzend«,[258] ließ er sein Gedicht erklingen. Der junge Sänger entzog sich nicht nur der Bestrafung – schließlich hatte das Gesetz Wort und Schrift, nicht jedoch (scheinbar sogar extemporierten) Gesang verboten. Er hatte auch großen Erfolg: »Lasst uns ziehen gen Salamis, zu streiten um die Insel«,[259] ertönte es bald von allen Seiten. Das Gesetz wurde aufgehoben, die Athener nahmen den Kampf wieder auf und beendeten ihn siegreich.

Das war das erste Lied eines Mannes, der als Gesetzgeber Weltruhm erlangen sollte: Solon. Was Wort und Schrift

---

258 Plutarch: *Bioi paralleloi, Solon* 8.2; Übersetzung: Konrat Ziegler: *Große Griechen und Römer.* Zürich, München 1954–1955, München (dtv) 1979. Text und Übersetzung auch bei Christoph Mülke: *Solons politische Elegien und Iamben.* Leipzig 2002, 1 W.

259 Diogenes Laertius: *Solon* 1.47; Mülke (Anm. 258), 3 W.

Michael Sowa, Their master's voice, Arche Sowa, 1996

nicht dürfen – und was sie, wie wir in den vorstehenden Kapiteln sahen, auch gar nicht können –, nämlich ein jenseits, hinter, über oder neben dem Gesetz liegendes Ziel verfolgen, einen unbezweifelbaren Sinn vermitteln, einen Glanz erstrahlen lassen oder einen Grund herbeizaubern, das bewirkt das Lied oder, was im alten Griechenland dasselbe ist, die Poesie. Ein Hütchen auf dem Kopf des Sängers macht den Rollenwechsel deutlich. Worte nehmen im Versmaß und im Klang der Stimme eine »wahnsinnige« Form an: »Gesang statt Rede« – »lass der Stimme die Oberhand, lass die Stimme übermitteln, was mit Worten nicht ausgedrückt werden kann. *Wovon man nicht sprechen kann, davon muss man singen ...*«[260]

Einige Jahre später, so berichtet die kleine Schrift *Athenaion Politeia*, die vielleicht von Aristoteles stammt,[261] setzte das heftig zerstrittene Volk der Athener Solon als Schiedsrichter zwischen den Parteien und als Gesetzgeber mit unbeschränkten Vollmachten ein. Solon machte sich ans Werk, gab dem Staat der Athener eine gute Verfassung, baute eine starke Gerichtsbarkeit auf, führte eine Münzreform durch, hob die Schuldknechtschaft auf, sorgte für die Rückkehr der säumigen Schuldner, die ihren eigenen Leib hatten verpfänden und verkaufen müssen, und verordnete

---

260 Mladen Dolar: *His Master's Voice. Eine Theorie der Stimme*. Frankfurt am Main 2007, S. 45. Ich danke Oliver Brupbacher für den schnellen Hinweis auf dieses wunderbare Buch.

261 Die Zuweisung und Datierung ist nach wie vor umstritten (erschwerend kommt hinzu, dass der Text nur auf einem Papyrus und Bruchstücken aus christlicher Zeit überliefert ist). Die Meinungen pendelten vom 5. ins späte 4. Jahrhundert und scheinen sich inzwischen auf das 4. Jahrhundert v. Chr. zu stabilisieren. Vgl. statt aller P. J. Rhodes: *A Commentary on the Aristotelian Athenaion Politeia*. Oxford 1981, und (für Aristoteles selbst) Mortimer Chambers: *Aristoteles. Staat der Athener*. Berlin 1990.

einen allgemeinen Schuldenerlass. All das tat er, ohne sich zum Tyrannen aufzuschwingen, nur um sein Vaterland zu retten und als Gesetzgeber sein Bestes zu tun.»Dass das so war, darüber sind sich alle einig, und er selbst erinnert in seiner Dichtung in folgenden Versen daran …«[262] Sein Schaffen, seine Taten, seine Gesetze transformierte Solon in Gedichte.»Manche sagen«, heißt es, »dass er es auch unternommen habe, (alle) seine Gesetze in Gedichtform zu bringen.«[263] Et voilà:

»Ich jedoch – wozu ich zusammenbrachte die
Gemeinde, was davon hab' ich beendet, bevor ich's erreicht?
Bezeugen könnte das für mich, wenn Recht die Zeit mir spricht,
die größte Mutter der Götter, der olympischen,
am besten, die schwarze Gottheit Erde, aus der ich einst 5
die Grenzsteine aushob, die vielerorts eingepflockten,
und die zuvor versklavt, jetzt frei.
Viele führt' ich nach Athen, ins Vaterland, das gottgegründete,
zurück, die Verkauften – der eine außerhalb des Rechts,
der andere rechtens –, andre dann, die durch zwingende 10
Not sich auf die Flucht gemacht – ihre Zunge sprach nicht mehr attisch, da sie doch vielerorts umhergeirrt.
Und die, die hier an Ort und Stelle Knechtschaft, ungebührliche,

---

262 *Athenaion Politeia*, 12.1; ed. Mortimer Chambers, 2. Auflage. Stuttgart, Leipzig 1994. Übersetzung: Martin Dreher: *Aristoteles. Der Staat der Athener*. Stuttgart 1993.

263 Plutarch: *Solon* 3.4.

zu leiden hatten – vor dem Gebaren ihrer Herrn erzitterten sie –,
die macht' ich frei. Dies habe ich kraft meiner Macht,   *15*
Gewalt und Recht in eins verfugend,
getan und ging es durch, wie ich's versprochen.
Doch die Gesetze hab' ich gleichermaßen für den Schlech-
ten und den Guten
– geraden Rechtsspruch auf einen jeden anpassend –
niedergeschrieben. Hätt' die Gerte ein anderer so wie
ich erhalten,   *20*
ein schlimmsinnender und besitzliebender Mann,
er hätte die Gemeinde nicht gebändigt. Denn wenn ich
gewillt gewesen wäre
zu dem, was den Gegnern damals gefiel,
andererseits zu dem, was immer diesen die andren zuge-
dacht,
dann wäre vieler Männer beraubt worden diese Stadt.   *25*
Zu diesen Zwecken schuf ich Wehr mir auf allen Seiten,
und wie unter vielen Hunden dreht' ich mich: ein Wolf.«[264]

Nicht nur Solon dichtete. Eine Neigung, die Worte der
Gesetze zu Liedern zu formen, ist im alten Griechenland
vielfach bezeugt,[265] auf Kreta, in Sparta, in Athen und
schließlich in Kroton, wo die in Harfe und Flöte verliebten
Pythagoreer ihre *praecepta* in Versform zu rezitieren pflegten.[266] Eine panhellenische Poesie sang das Gesetz.[267] Ja, es

---

264 *Athenaion Politeia* (Anm. 132), 12.4. Die hier abgedruckte Übersetzung stammt
    von Mülke (Anm. 258), 36 W.

265 Giorgio Camassa: *Leggi orali e leggi scritte. I legislatori*, in: Salvatore Settis (Hg.):
    I Greci. Turin 1996, S. 561 ff.; Luigi Piccirilli: *»Nomoi« cantati e »nomoi« scritti*,
    in: Civiltà Classica e Cristiana, 1.2, 1980–81, S. 7–14; Rosalind Thomas: *Written
    in Stone? Liberty, Equality, Orality and the Codification of Law*, in: Bulletin of
    the Institute of Classical Studies 40 (1995) S. 59–74 (S. 63 f.).

266 Cicero: *Tusc.* 4.3. Dazu oben Kap. 3.

könnte sogar sein, dass »die ersten lyrischen Rhythmen ... diejenigen (waren), in welchen die Gesetze freier Staaten gesungen wurden.«[268] Als Technik der Memoria, für die manche sie halten,[269] ist die poetische Form der antiken Gesetze wohl missverstanden und gewiss unterschätzt. Eher wollen wir Plutarch Glauben schenken: Solon, sagt er, habe seine Verse keineswegs »der Geschichte und dem Gedächtnis zuliebe« angefertigt,[270] sondern zur »Rechtfertigung« seiner Taten: ἕνεκεν ἀπολογισμούς. Seine Taten, das sind an erster und prominentester Stelle seine Gesetze. Solon rechtfertigt, dass er Recht fertigte,[271] nicht durch weitere Rechtfertigungen, die der Rechtfertigungen bedürfen, sondern indem er »die vom Verstand in Besitz genommene und nach seinen Zwecken geformte Sprache« der Prosa[272] verlässt und sie gegen die Form der Poesie austauscht.

Was ist es, das der Kunst erlaubt, als *apologismós* der Realität zu fungieren? Poesie widmet sich, wie alle Kunst,

---

267 Solon aus diesem anonymen Kontext als Individuum herauszulösen, bemüht sich m. E. vergeblich Kurt A. Raaflaub: *Solone, la nuova Atene e l'emergere della politica*, in: Settis (Hg.): *I Greci* (Anm. 265), S. 1035–1081. Raaflaubs eigene Beschreibung trägt Züge der Poesie: Solone »parla in maniera inequivocabile come un ben determinato individuo, un Ateniese appassionato, un acuto pensatore politico, riformatore convinto e progressista« (S. 1042). Eine solche Heldenverehrung hat Tradition: »Es ist etwas Wunderbares zu wissen, dass einmal ein wahrhaft gerechter Mensch gelebt hat. ...« Eberhard Preime: *Solon: Dichtungen. Sämtliche Fragmente ...*, Griechisch und deutsch, 1939, 3. Auflage. München 1945, S. 7.

268 Friedrich Wilhelm Joseph Schelling: *Philosophie der Kunst*, 1859. Ndr. Darmstadt 1966, S. 286 [S. 642].

269 Camassa (Anm. 265), S. 562: »Il canto si conferma un veicolo privilegiato della memoria«.

270 Plutarch: *Solon* 3.3: οὐχ ἱστορίας καὶ μνήμης ἕνεκεν.

271 Das Sprachspiel (mit ernsten Absichten) geht zurück auf Rudolf Wiethölter, siehe dazu im Überblick: Andreas Fischer-Lescano, Gunther Teubner: *Prozedurale Rechtstheorie: Wiethölter*, in: *Neue Theorien des Rechts* (Anm. 223), S. 79–94.

272 Schelling (Anm. 268), S. 282 [S. 638].

den vielen Möglichkeiten, die der rohe Stoff anbietet, um zur schönen Form zu werden. Sie zeichnet dabei nicht nach, »*was ist* oder *gewesen ist*«, sondern macht »die dem Menschen eigentümlichen *Möglichkeiten*« sichtbar.[273] Poesie trennt sich, endgültig bei Aristoteles,[274] von der Ontologie und wird zur Spezialistin für die »Differenz zwischen dem Realen und dem bloß Möglichen«,[275] mit dem auch Solons Gedicht spielt: »Hätt' die Gerte ein anderer so wie ich erhalten … er hätte die Gemeinde nicht gebändigt. Denn wenn ich gewillt gewesen wäre …« Poesie setzt an und nistet sich ein in eben jenem gespenstischen »Dazwischen«, das Kafka, Derrida, Luhmann beunruhigte. Aus dieser prekären Lage zwischen dem, was ist, und dem, was sein könnte, also zwischen Aktualität und Latenz, zieht Kunst ihren Nutzen zur Selbstentfaltung. Und wird so Meisterin – größte Nutznießerin und zugleich einzige Bezwingerin – von Kontingenz:

Nutznießerin, weil ein Gedicht als »Ganzes, das seine Zeit und Schwungkraft in sich selbst hat, und dadurch von dem Ganzen der Sprache abgesondert, vollkommen in sich selbst beschlossen ist«,[276] ein Höchstmaß an Autonomie besitzt. Einziger Maßstab der Poesie ist die Poesie. »Vollkommen in sich selbst beschlossen«, weist sie in souveräner Selbstreferentialität Anforderungen und Zumutungen ihrer

---

273 Ernesto Grassi: *Die Theorie des Schönen in der Antike*. Köln 1962, Neuausgabe 1980, S. 169 f. (im Rahmen einer umfassenden Rekonstruktion der Poetik des Aristoteles).

274 Siehe den Überblick bei Wolfgang Rösler: *Poetik, Antike*, in: *Historisches Wörterbuch der Rhetorik*, Bd. 6. Tübingen 2003, S. 1307–1314. Zum Misstrauen in die Verführungskräfte von Stimme und Musik gegenüber dem Buchstaben seit Platons Zeiten – ein Misstrauen, das wohl nicht zuletzt durch den Möglichkeitshorizont, den Kunst eröffnet, begründet ist – siehe Dolar (Anm. 260), S. 59 ff.

275 Niklas Luhmann: *Die Kunst der Gesellschaft*. Frankfurt am Main 1995, S. 236.

276 Schelling (Anm. 268), S. 281 [S. 637].

Umwelt ab. Weshalb Poesie – bar jeglichen Grundes und ohne alle Ermächtigung – alles noch einmal sagt, es anders sagt, und somit immer etwas anderes sagt, als dies die Prosa, auch die Prosa der Gesetze, kann. Und deshalb ist Poesie nicht eine Meinung unter vielen Meinungen und als solche auch nur »Ausdruck der Verzweiflung« über die Unveränderlichkeit der Schrift. Sie unterläuft vielmehr und überwindet das Wort und die Schrift. Solons Salamis-Elegie führt dies vor: Gegen Wort und Schrift eines Gesetzes, das Wort und Schrift verbietet, hilft nur das Lied. An die Stelle von Kommunikation, (gesetzlich verbotenem) Sagen und Fragen, tritt die Wahrnehmung von Rhythmus und Musik.

Und so verwandelt der Klang einer heroischen Lyrik auch die Gesetze, die Solon einst gab. »Und die, die hier an Ort und Stelle Knechtschaft, ungebührliche, / zu leiden hatten – vor dem Gebaren ihrer Herrn erzitterten sie –, / die macht' ich frei.« In der Prosa der Historiker heißt dieser Vorgang »Schuldenerlass« (*seisáchtheia*) – ein strohtrockenes Wort, ohne Emotion, ohne das Pathos der nach ungebührlicher Knechtschaft erlangten Freiheit. In der Prosa der Historiker ist Solon ein Gesetzgeber, den man datieren und dessen Taten[277] und Texte[278] man rekonstruieren muss. In

---

277 Womit denn auch eine abundante historische Forschung – unter weitgehender Vernachlässigung der Differenz von prosaischer und poetischer Überlieferung – bis heute befasst ist. Zum Beispiel: Pavel Oliva: *Solon – Legende und Wirklichkeit.* Konstanz 1988; Eberhard Ruschenbusch: *Plutarchs Solonbiographie*, in: Zeitschrift für Papyrologie und Epigraphik 100 (1994) S. 352–380; Kurt A. Raaflaub: *Poets, lawgivers, and the beginning of political reflection in archaic Greece*, in: *The Cambridge History of Greek and Roman Political Thought.* Cambridge 2000, S. 39 ff.; Hans-Joachim Gehrke: *Der Nomosbegriff der Polis*, in: Okko Behrends, Wolfgang Sellert (Hg.): *Nomos und Gesetz.* Göttingen 1995, S. 13–35; Tobias Reichardt: *Recht und Rationalität im frühen Griechenland.* Würzburg 2003, S. 103 ff. Skeptisch zu Datierung und Überlieferung – ohne jedoch den »historischen« Solon entschlossen zu verabschieden – schon C. Hignett: *A History of the Athenian Constitution to the End of the Fifth Century B.C.* Oxford

der Poesie hingegen findet eine Metamorphose statt: Der Gesetzgeber mutiert zum »Wolf«. Das Gedicht beginnt mit einem selbstbewussten ἐγώ und endet mit dem überraschenden, imposanten Simile des λύκος: »Ich ... Wolf.« Das ist die Selbstverwandlung eines ποιητής, eines Autopoieten, der sich zum Outcast der zivilisierten Gesellschaft, zum Wolf,[279] gestaltet und aus sich selbst hervorbringt, was Gregor Samsa an jenem Morgen zustieß, an dem er sich »zu einem ungeheuren Ungeziefer verwandelt« fand.[280] Die metamorphischen Kräfte der Poesie ahmen nicht nach, kommentieren nicht, übersetzen nicht, beobachten nicht eigene oder fremde Beobachtungen, sondern kreieren eine andere, eine neue Realität. Und diesen Zauberkräften ist es zu verdanken, dass das Gedicht, auch wenn es vom Gesetz der Welt singt, dem Gesetz nichts unterlegt und dem Gesetz nicht unterliegt, sondern sein eigenes Gesetz ist. Ein Gesetz, das ungeniert das »Besondere« der Welt und ihrer »Fakten« vernachlässigt und stattdessen das »Allgemeine«,[281] die Kontingenzen von Vaterland und Verkauften,

1952; dann Karl-Joachim Hölkeskamp: *Schiedsrichter, Gesetzgeber und Gesetzgebung im archaischen Griechenland.* Stuttgart 1999, S. 44 ff., und Gerhard Thür: *Gab es ›Rechtscorpora‹ im archaischen Griechenland?,* in: M. Witte, M. Th. Fögen (Hg.): *Kodifizierung und Legitimierung des Rechts in der Antike und im Alten Orient.* Wiesbaden 2005, S. 9–27.

278 Die Versuche, seine authentischen Gesetze zu rekonstruieren (siehe Ruschenbusch, Anm. 134), gleichen in ihrer zweifelhaften Methode und redlichen Absicht den Anstrengungen, die Zwölf Tafeln als »Realität« des 5. Jahrhunderts v. Chr. zu retten (dazu oben Kap. 3).

279 Der Wolf ist – im Gegensatz etwa zum Löwen – ein in der griechischen Antike pejorativ besetztes Tier. Eben weil »strikingly unexpected« eingesetzt, erzeugt das Ende des Gedichts eine besondere Aufmerksamkeit, vielleicht sogar in dem Sinne: »I am heroic in a way that no Homeric hero ever had to be.« Vgl. die sorgfältige Analyse von Emily Katz Anhalt: *Solon the Singer. Politics and Poetics.* Lanham 1993, S. 115 ff.

280 Franz Kafka: *Die Verwandlung.*

von Göttern, Grenzsteinen, Gewalt und Gleichmaß offenbart.

Zur Bezwingerin der selbsterzeugten Kontingenz wird Solons Poesie durch ihre Form: Es sind die iambisch hämmernden Hexameter, das »festeste und stattlichste Versmaß«,[282] welche die freigesetzten Möglichkeiten wieder einfangen. Die Metrik ist die Struktur, die vieles, aber nicht Beliebiges zulässt. Ja, die im Versmaß disziplinierte Kunst – die »gebundene Sprache« – *ist* die Eunomie, die gute Ordnung, von der Solons Iambos erzählt und die er uno actu verwirklicht. Und so bezwingt der Hexameter sogar den unversöhnlichen Gegensatz von βία und δίκη: »Das habe ich kraft meiner Macht getan / Gewalt und Recht in eins verfugend.« Solon dekonstruiert nicht. Solon dichtet. Mit dem Erfolg – Nietzsche kann das Spotten nicht lassen –, dass man »einen Gedanken als *wahrer empfindet*, wenn er eine metrische Form hat und mit einem göttlichen Hopsassa daherkommt.«[283] Doch das Hopsassa des Sängers Solon zielt nicht auf »Wahrheit«. Im Gegenteil. πολλὰ ψεύδονται ἀοιδοί: »Viel ja lügen die Sänger«, bezeugt er von sich selbst![284] Solons »Lüge« vollzieht den Wechsel vom *nómos* zum *épos*, von der *lex* zum *carmen*,[285] von der Prosa des Gesetzes zur Poesie des Gesetzes, von der Materie des Seins

---

281 Aristoteles: *Poetik* 9, 1451 b: »Denn die Dichtung sagt mehr das Allgemeine, die Geschichtsschreibung aber das Besondere.«

282 Aristoteles: *Poetik* 24, 1459 b.

283 Friedrich Nietzsche: *Die fröhliche Wissenschaft*, 2. Ausgabe 1886. Stuttgart 2000, § 84.

284 Mülke (Anm. 258), 29 W. Überliefert ist die Parömie auch bei Aristoteles: *Metaphysik* 983ª3–4 und Plutarch: *Moralia* 16 A. Vgl. E. L. Leutsch (Hg.): *Corpus Paroemiographorum Graecorum*, Bd. 2. Göttingen 1851, Ndr. Hildesheim 1965, 128/13. Nietzsche (Anm. 283), § 84, weist das Zitat irrtümlich Homer zu.

285 Und nicht etwa umgekehrt vom *carmen* zur *lex*, wie Cicero dies tat, siehe oben Kapitel 3.

zur Form des Möglichen, von der Ödnis auf Erden zum Lichtton in der Höhe, von der Gestalt der Welt zur Musik der Sphären, vom steinharten Faktum zur flottierenden Stimmung. Dieser Sprung aus dem Rechtssystem in die Kunst ist die Befreiung vom zirkulären Begründen des prosaischen Gesetzes, von der Sisyphusarbeit der Paradoxologen,[286] vom Leiden an Gewalt und von infiniter Suche nach Gerechtigkeit. Solon hatte eine wunderbare Idee. – Und ging dann fort. Denn schon die Athener belästigten ihn mit Zweifeln und Kritik an den Gesetzen. Fragen von Pedanten an den Poeten. Solon schwieg, entzog sich, verschwand aus Athen, ging für zehn Jahre auf Reisen.[287]

Die Nachwelt hat Solons Schweigen gebrochen. Und hat sich auch nicht damit begnügt, seine Lieder zu singen. Im Gegenteil. Einige Jahrhunderte, vier oder fünf Jahrhunderte, nachdem uns der Gesetzessänger Solon in der *Athenaion Politeia* erstmals[288] begegnet, greift Plutarch, der Pendler zwischen der griechischen und römischen Welt, zur Feder, um sich des berühmten Mannes aus grauer Vorzeit zu bemächtigen. Allerhand weiß er von diesem zu berich-

286 »Poetisieren« könnte ein (radikales) Äquivalent dafür sein, was bei Luhmann »Gödelisieren« heißt. Wo das System seine eigenen Geltungs- und Existenzbedingungen nicht mehr zu beherrschen vermag, wird das Problem durch Systemwechsel bearbeitet. Vgl. zum Beispiel *Das Recht der Gesellschaft* (Anm. 235), S. 104: »Das Problem lässt sich also normativ nicht kontrollieren. Man muss es in Richtung auf Politik ›gödelisieren‹. Das heißt: Es erfordert politische Wachsamkeit.«

287 *Athenaion Politeia* 11.1.

288 Verstreute und kurze Erwähnungen des Solon finden sich zuvor bei Platon bzw. etwa zeitgleich mit der *Athenaion Politeia* bei den sog. Atthidographen. Zusammengestellt sind diese Zeugnisse in Bruno Gentili, Carolus Prato (Hg.): *Poetarum elegiacorum testimonia et fragmenta*, 2. Auflage. Leipzig 1988, S. 61 ff. Dort auch Edition der Solonischen Verse: S. 93 ff.

ten, auch und gerade von seinen Gesetzen.[289] Unter diesen gebe es manche, die höchstes Lob verdienen, zum Beispiel dasjenige, welches verbietet, einem Toten Böses nachzusagen: »Denn fromm ist es, die Dahingeschiedenen als heilig zu betrachten.«[290] Verdienstvoll sei auch das Gesetz über das Testierrecht: »Indem Solon gestattete, wenn jemand keine Kinder hatte, sein Vermögen, wem er wollte, zuzuwenden, gab er der Freundschaft mehr Ehre als der Verwandtschaft und dem guten Willen mehr als dem Zwang, und machte so das Vermögen erst zum Eigentum der Besitzenden.«[291] Doch unter den zahlreichen Gesetzen, die Plutarch dem Solon zuschreibt, gibt es auch nicht wenige merkwürdige oder absurde. Eines von diesen war besonders »eigentümlich, ja geradezu paradox«:[292] Es untersagte jedermann, sich im Fall eines Aufruhrs in die Neutralität zurückzuziehen. Nicht weniger »abwegig und lächerlich«[293] schien Plutarch das Gesetz, nach welchem Frauen, die eine Erbschaft gemacht hatten und deren Ehemann impotent war, sich mit einem anderen Mann aus der näheren Verwandtschaft verbinden konnten. Unter allen Gesetzen Solons, befindet Plutarch, seien ohnehin diejenigen über Frauen durch »größten Unverstand« gekennzeichnet.[294] Geradezu »widersinnig« erschienen auch die unter-

---

289 Zu den von Plutarch benutzten Quellen siehe Peter von der Mühll: *Antiker Historismus in Plutarchs Biographie des Solon*, in: Klio 17 (1942) S. 89–102; Ndr. in: Ders.: *Ausgewählte kleine Schriften.* Basel 1975, S. 328–343.

290 Plutarch: *Solon* 21.1.

291 Plutarch: *Solon* 21.2.

292 Plutarch: *Solon* 20.1: ἴδιος μὲν μάλιστα καὶ παράδοξος.

293 Plutarch: *Solon* 20.2: ἄτοπος δὲ δοκεῖ καὶ γελοῖος.

294 Plutarch: *Solon* 23.1: ὅλως δὲ πλείστην ἔχειν ἀτοπίαν.

schiedlichen Strafen für Entführung und Vergewaltigung, »bald hart und unerbittlich, bald milde und wie zum Scherz«.[295] »Ratlos« lasse ferner sein Gesetz über die Einbürgerung von Fremden sowie das »eigentümliche« Gesetz,[296] nach welchem bestraft werde, wer zu häufig zur öffentlichen Speisung erscheine, und ebenso derjenige, der trotz Einladung nicht erscheine. Denn jener sei habgierig, dieser überheblich.

Kein Zweifel – Plutarch unterzieht Solon einer Evaluation, wägt ab, welche seiner Taten und Gesetze gut und nützlich, welche verschroben und widersinnig waren. Solons Lied nach dem Gesetz steht einer kritisch-rationalen Betrachtung und Bewertung der Buchstaben nur im Wege. Plutarch zerfetzt – im Wortsinn – den Großen Iambos, fügt hier eine Strophe, dort zwei Strophen in seine Erzählung ein.[297] Wenige poetische Zeilen schwimmen im Meer der Prosa und gehen unter. Die Stimme geht unter im Medium »Worte«. Solons Gesetze haben damit ihren Halt in der Metrik verloren. Die Musik ist verklungen. Die Gesetze *sind* nicht mehr die Eunomie. Man kann – Plutarch führt es vor – über ihre Güte und ihren Sinn räsonieren und diskutieren. Kein iambisches Versmaß verbietet mehr, ihnen etwas hinzuzufügen oder wegzunehmen. Ohne die Rückbindung im Rhythmus ist die Kontingenz, dass ein Gesetz stets so oder anders oder auch gar nicht sein kann, wieder freigelegt – das eine verdient Lob, das andere Tadel, das eine ist nützlich, das andere paradox. Das ist Ansichtssache.

---

295 Ebd.

296 Plutarch: *Solon* 24.2.3: παρέχει δ' ἀπορίαν ..., ἴδιον τοῦ Σόλωνος ....

297 Insgesamt fünf Zeilen (oben Zeile 16, 6–7, 11–12) in Kapitel 15 der Solon-Biographie.

Ansichten, sagt man, muss man begründen. Und Gründe brauchen Gründe. Und der Grund des Grundes braucht einen Begründer, einen Gesetzgeber, einen Gott, eine Grundnorm, eine Gewalt oder eine Gerechtigkeit ... *Begin at the beginning*.[298] Das ist die gerechte Strafe für die mutwillige Verletzung des Versmaßes.

Beginne mit den selbstherrlichen Gesetzgebern, die meinen, vor ihren Gesetzen bestimmen zu können, was ihre Gesetze sagen und sagen werden. Geh zu den Richtern, Juristen, Professoren und Präsidenten, die ihre mühseligen, maßgeblichen und anmaßenden Lieder zum Gesetz singen. Lausche dem pfiffigen Sänger des *carmen*, der, eigennützig und zugleich großzügig, der römischen und romanistischen Welt seine trügerischen Gesetze schenkte. Mach Halt bei dem Literaten, der uns vor dem Gesetz sitzen lässt. Hohe Kunst ist es, die er anbietet, und nahe, ganz nahe war er zuweilen auch der Musik – dem Pfeifkonzert der Mäuse und der Musikalität des Hundegeschlechts.[299] Rücke vor zu den Philosophen, die gründlich nach Gründen und unermüdlich nach Gerechtigkeit suchen. Verweile nicht zu lange: Verzweiflung naht, und wenig Trost ist zu erwarten. Schreite voran zu dem listigen Spielverderber, der aus dem Karussell ausstieg, um dessen wildes Drehen von außen zu betrachten. Er sah etwas, was du nicht siehst, und sah mehr als die Meisten. Eines konnte auch er nicht: den irrsinnigen Kreislauf um das goldene Kalb des Gesetzes zum Stillstand

---

298 Lewis Carroll: *Alice's Adventures in Wonderland*, Kap. 12.

299 Franz Kafka: *Josefine, die Sängerin oder Das Volk der Mäuse* und *Forschungen eines Hundes*; Dolar (Anm. 260), S. 229 ff. Gerechtigkeit ist Kafka jüngst widerfahren, als seine Worte in betörende Musik verwandelt wurden: György Kurtág: *Kafka-Fragmente op. 24*, Juliane Banse, Sopran, András Keller, Violine. CD 2006 (ECM New Series 1965 / 476 3099).

bringen. Das vermochte nur Solon, dann keiner mehr. Und wenn doch, dann ein Poet.

> Fadensonnen
> über der grauschwarzen Ödnis.
> Ein baum-
> hoher Gedanke
> greift sich den Lichtton: es sind
> noch Lieder zu singen jenseits
> der Menschen.

(Paul Celan)[300]

---

300 Aus *Atemwende*, in: *Die Gedichte*. Kommentierte Gesamtausgabe. Frankfurt am Main 2005, S. 179.

Über die Autorin

Marie Theres Fögen, geboren am 10. Oktober 1946 in Lüdinghausen, gestorben am 18. Januar 2008 in Zürich, studierte von 1966–1970 Rechtswissenschaft in Frankfurt am Main und München. Nach der Promotion (1973) wandte sie sich – zeitweilig in Florenz – der antiken und mittelalterlichen, dann – in Wien – der byzantinischen Rechtsgeschichte zu,  welche Gegenstand ihrer langjährigen Mitarbeit in einem DFG-Projekt und ab 1980 im Max-Planck-Institut für europäische Rechtsgeschichte wurde. Gleichzeitig nahm sie ihre Tätigkeit als Rechtsanwältin und als Dozentin für Wirtschaftsrecht an der European Business School auf. In die Wissenschaft von der Geschichte des Rechts zurückgekehrt, legte sie 1993 *Die Enteignung der Wahrsager* als Habilitationsschrift vor. 1995 nahm sie einen Ruf an die Universität Zürich an, wo sie Römisches Recht, Privatrecht und Rechtstheorie lehrte. Seit 2001 war sie zugleich Direktorin am Max-Planck-Institut für europäische Rechtsgeschichte in Frankfurt am Main. 1991 war sie Gastprofessorin an der EHESS Paris; 1993 Fellow in Dumbarton Oaks, Washington D.C.; 1995 Gastprofessorin in Harvard und 1999/2000 Fellow am Wissenschaftskolleg zu Berlin.

Bücher

Die Enteignung der Wahrsager. Studien zum kaiserlichen Wissensmonopol in der Spätantike. Frankfurt am Main (Suhrkamp) 1993 (stw 1316, 1997).

Römische Rechtsgeschichten. Über Ursprung und Evolution eines sozialen Systems. Göttingen (Vandenhoeck & Ruprecht) 2002 (Paperback ebd. 2002; ital. Bologna 2006).

Das Lied vom Gesetz. München (Carl Friedrich von Siemens Stiftung) 2007. Zweite, durchgesehene Auflage 2022.

Opuscula. Hg. von Andrea Büchler. Zürich (Dike) 2009.

Aufsätze

Hexabiblos aucta. Eine Kompilation der spätbyzantinischen Rechtswissenschaft, in: Fontes Minores VII, 1986, S. 259–333.

Das politische Denken der Byzantiner, in: I. Fetscher, H. Münkler (Hg.): *Pipers Handbuch der politischen Ideen*, Bd. 2. München/Zürich, 1993, S. 41–85.

Legislation in Byzantium. A Political and a Bureaucratic Technique, in: A. E. Laiou, D. Simon (Hg.): *Law and Society in Byzantium: Ninth – Twelfth Centuries.* Washington D.C. (Dumbarton Oaks) 1994, S. 53–70.

Rechtsgeschichte – Geschichte der Evolution eines sozialen Systems. Ein Vorschlag, in: Rechtsgeschichte 1, 2002, S. 14–20.

Das römische Zwölftafelgesetz. Eine imaginierte Wirklichkeit, in: Marie Theres Fögen / M. Witte (Hg.): *Kodifizierung und Legitimierung des Rechts in der Antike und im Alten Orient.* Wiesbaden 2005, S. 45–70.

THEMEN – Eine Publikationsreihe
der Carl Friedrich von Siemens Stiftung

In der Reihe *Themen* wird eine kleine Auswahl der im Wissenschaftlichen Programm der Carl Friedrich von Siemens Stiftung gehaltenen Vorträge in teilweise überarbeiteter und erweiterter Form veröffentlicht. Die Publikationen können von der Stiftung direkt bezogen werden. Vergriffene Bände sind mit dem Vermerk *vgr* gekennzeichnet.

17 Günter Schmölders: *Carl Friedrich von Siemens. Vom Leitbild des groß-industriellen Unternehmers.* 1973. 64 S. *vgr*

18 Ulrich Hommes: *Entfremdung und Versöhnung. Zur ideologischen Ver-führung des gegenwärtigen Bewußtseins.* 1973. 50 S. *vgr*

19 Dennis Gabor: *Holographie 1973.* 1974. 52 S.

20 Wilfried Guth: *Geldentwertung als Schicksal?* 1974. 44 S.

21 Hans-Joachim Queisser: *Festkörperforschung.* 1975. 2. Auflage 1976. 64 S. *vgr*

22 Ekkehard Hieronimus: *Der Traum von den Urkulturen.* 1975. 2. Auflage 1984. 54 S. *vgr*

23 Julien Freund: *Georges Sorel.* 1977. 76 S. *vgr*

24 Otto Kimminich: *Entwicklungstendenzen des gegenwärtigen Völker-rechts.* 1976. 2. Auflage 1977. 52 S.

25 Hans-Joachim Hoffmann-Nowotny: *Umwelt und Selbstverwirklichung als Ideologie.* 1977. 42 S. *vgr*

26 Franz C. Lipp: *Eine europäische Stammestracht im Industriezeitalter. Über das Vorder- und Hintergründige der bayerisch-österreichischen Trachten.* 1978. 43 S. *vgr*

27 Christian Meier: *Die Ohnmacht des allmächtigen Dictators Caesar.* 1978. 108 S. *vgr*

28 Stephan Waetzoldt und Alfred A. Schmid: *Echtheitsfetischismus? Zur Wahrhaftigkeit des Originalen.* 1979. 72 S. *vgr*

29 Max Imdahl: *Giotto. Zur Frage der ikonischen Sinnstruktur.* 1979. 60 S. *vgr*

30 Hans Frauenfelder: *Biomoleküle. Physik der Zukunft?* 1980. 2. Auflage 1984. 53 S. *vgr*

31 Günter Busch: *Claude Monet »Camille«. Die Dame im grünen Kleid.* 1981. 2. Auflage 1984. 50 S.

32 Helmut Quaritsch: *Einwanderungsland Bundesrepublik Deutschland? Aktuelle Reformfragen des Ausländerrechts.* 1981. 2. Auflage 1982. 92 S. *vgr*

33 Armand Borel: *Mathematik: Kunst und Wissenschaft.* 1982. 2. Auflage 1984. 58 S. *vgr*

34 Thomas S. Kuhn: *Was sind wissenschaftliche Revolutionen?* 1982. 2. Auflage 1984. 62 S. *vgr*

35 Peter Claus Hartmann: *Karl VII.* 1982. 2. Auflage 1984. 60 S.

36 Frédéric Durand: *Nordistik. Einführung in die skandinavischen Studien.* 1983. 104 S.

37 Hans-Martin Gauger: *Der vollkommene Roman: »Madame Bovary«.* 1983. 2. Auflage 1986. 70 S. *vgr*

38 Werner Schmalenbach: *Das Museum zwischen Stillstand und Fortschritt.* 1983. 47 S.

39 Wolfram Eberhard: *Über das Denken und Fühlen der Chinesen.* 1984. 2. Auflage 1987. 48 S. *vgr*

40 Walter Burkert: *Anthropologie des religiösen Opfers.* 1984. 2. Auflage 1987. 64 S. *vgr*

41 Christopher Freeman: *Die Computerrevolution in den langen Zyklen der ökonomischen Entwicklung.* 1985. 57 S. *vgr*

42 Benno Hess und Peter Glotz: *Mensch und Tier. Grundfragen biologisch-medizinischer Forschung.* 1985. 60 S. *vgr*

43 Hans Elsässer: *Die neue Astronomie.* 1986. 64 S. *vgr*

44 Ernst Leisi: *Naturwissenschaft bei Shakespeare.* 1988. 124 S. *vgr*

45 Dietrich Murswiek: *Das Staatsziel der Einheit Deutschlands nach 40 Jahren Grundgesetz.* 1989. 56 S. *vgr*

46 François Furet: *Zur Historiographie der Französischen Revolution heute.* 1989. 50 S. *vgr*

47 Ernst-Wolfgang Böckenförde: *Zur Lage der Grundrechtsdogmatik nach 40 Jahren Grundgesetz.* 1990. 86 S. *vgr*

48 Christopher Bruell: *Xenophons Politische Philosophie.* 1990. 2. Auflage 1994. 71 S. *vgr*

49 Heinz-Otto Peitgen und Hartmut Jürgens: *Fraktale. Gezähmtes Chaos.* 1990. 70 S. mit 25 Abb. und 4 Farbtafeln. *vgr*

50 Ernest L. Fortin: *Dantes »Göttliche Komödie« als Utopie.* 1991. 62 S. mit 8 Abb. *vgr*

51 Ernst Gottfried Mahrenholz: *Die Verfassung und das Volk.* 1992. 58 S. *vgr*

52 Jan Assmann: *Politische Theologie zwischen Ägypten und Israel.* 1992. 2. Auflage 1995. 122 S. 3., erweiterte Auflage 2006. 138 S. 4. Auflage 2017. 140 S.

53 Gerhard Kaiser: *Fitzcarraldo Faust. Werner Herzogs Film als postmoderne Variation eines Leitthemas der Moderne.* 1993. 74 S. mit 1 Abb. *vgr*

54 Paul A. Cantor: *»Macbeth« und die Evangelisierung von Schottland.* 1993. 88 S.

55 Walter Burkert: *»Vergeltung« zwischen Ethologie und Ethik.* 1994. 48 S. *vgr*

56 Albrecht Schöne: *Fausts Himmelfahrt. Zur letzten Szene der Tragödie.* 1994. 40 S. *vgr*

57 Seth Benardete: *On Plato's »Symposium« – Über Platons »Symposion«.* 1994. 2. Auflage 1999. 106 S. 3. Auflage 2012. 110 S. mit einer Farbausschlagtafel.

58 Yosef Hayim Yerushalmi: »*Diener von Königen und nicht Diener von Dienern«. Einige Aspekte der politischen Geschichte der Juden.* 1995. 62 S. *vgr*

59 Stefan Hildebrandt: *Wahrheit und Wert mathematischer Erkenntnis.* 1995. 60 S. mit 12 Abb.

60 Dieter Grimm: *Braucht Europa eine Verfassung?* 1995. 58 S. *vgr*

61 Horst Bredekamp: *Repräsentation und Bildmagie der Renaissance als Formproblem.* 1995. 84 S. mit 32 Abb. *vgr*

62 Paul Kirchhof: *Die Verschiedenheit der Menschen und die Gleichheit vor dem Gesetz.* 1996. 80 S. *vgr*

63 Ralph Lerner: *Maimonides' Vorbilder menschlicher Vollkommenheit.* 1996. 50 S. mit 5 Abb.

64 Hasso Hofmann: *Bilder des Friedens oder Die vergessene Gerechtigkeit. Drei anschauliche Kapitel der Staatsphilosophie.* 1997. 2. Auflage 2008. 98 S. mit 36 Abb.

65 Ernst-Wolfgang Böckenförde: *Welchen Weg geht Europa?* 1997. 60 S. *vgr*

66 Peter Gülke: *Im Zyklus eine Welt. Mozarts letzte Sinfonien.* 1997. 64 S. mit 2 Abb. und 9 Notenbeispielen. 2. Auflage 2015. 76 S. mit 2 Abb. und 11 Notenbeispielen.

67 David E. Wellbery: *Schopenhauers Bedeutung für die moderne Literatur.* 1998. 70 S.

68 Klaus Herding: *Freuds »Leonardo«. Eine Auseinandersetzung mit psychoanalytischen Theorien der Gegenwart.* 1998. 80 S. mit 7 Abb. *vgr*

69 Jürgen Ehlers: *Gravitationslinsen. Lichtablenkung in Schwerefeldern und ihre Anwendungen.* 1999. 58 S. mit 15 Abb. und 4 Farbtafeln.

70 Jürgen Osterhammel: *Sklaverei und die Zivilisation des Westens.* 2000. 2. Auflage 2009. 74 S. mit 1 Abb.

71 Lorraine Daston: *Eine kurze Geschichte der wissenschaftlichen Aufmerksamkeit.* 2001. 60 S. mit 7 Abb. *vgr*

72 John M. Coetzee: *The Humanities in Africa – Die Geisteswissenschaften in Afrika.* 2001. 98 S.

73 Georg Kleinschmidt: *Die plattentektonische Rolle der Antarktis.* 2001. 86 S. mit 20 Abbildungen, 16 Farbtafeln und einer Ausschlagtafel.

74 Ernst Osterkamp: »*Ihr wisst nicht wer ich bin« – Stefan Georges poetische Rollenspiele.* 2002. 60 S. mit 5 Abb.

75 Peter von Matt: *Ästhetik der Hinterlist. Zu Theorie und Praxis der Intrige in der Literatur.* 2002. 62 S.

76 Seth Benardete: *Socrates and Plato. The Dialectics of Eros – Sokrates und Platon. Die Dialektik des Eros.* 2002. 98 S. mit 1 Abb.

77 Robert Darnton: *Die Wissenschaft des Raubdrucks. Ein zentrales Element im Verlagswesen des 18. Jahrhunderts.* 2003. 82 S. mit 3 Abb.

78 Michael Maar: *Sieben Arten, Nabokovs »Pnin« zu lesen.* 2003. 74 S.

79 Michael Theunissen: *Schicksal in Antike und Moderne.* 2004. 72 S. 2. Auflage 2017. 74 S.

80 Paul Zanker: *Die Apotheose der römischen Kaiser. Ritual und städtische Bühne.* 2004. 86 S. mit 31 Abb.

81 Glen Dudbridge: *Die Weitergabe religiöser Traditionen in China.* 2004. 64 S. mit 8 Farbtafeln.

82 Heinrich Meier: *»Les rêveries du Promeneur Solitaire«. Rousseau über das philosophische Leben.* 2005. 68 S. 3. Auflage 2022. 74 S. mit 12 Abb.

83 Jean Bollack: *Paul Celan unter judaisierten Deutschen.* 2005. 70 S.

84 Rudolf Smend: *Julius Wellhausen. Ein Bahnbrecher in drei Disziplinen.* 2006. 72 S. mit 4 Tafeln.

85 Martin Mosebach: *Die Kunst des Bogenschießens und der Roman. Zu den »Commentarii« des Heimito von Doderer.* 2006. 74 S. mit 13 Abb.

86 Ernst-Wolfgang Böckenförde: *Der säkularisierte Staat. Sein Charakter, seine Rechtfertigung und seine Probleme im 21. Jahrhundert.* 2007. 82 S. 2. Auflage 2015

87 Marie Theres Fögen: *Das Lied vom Gesetz.* 2007. 140 S. mit 5 Abb. 2. Auflage 2022. 142 S. mit 5 Abb.

88 Helen Vendler: *Primitivismus und das Groteske. Yeats' »Supernatural Songs«.* 2007. 88 S. mit 8 Abb.

89 Winfried Menninghaus: *Kunst als »Beförderung des Lebens«. Perspektiven transzendentaler und evolutionärer Ästhetik.* 2008. 70 S.

90 Horst Bredekamp: *Der Künstler als Verbrecher. Ein Element der frühmodernen Rechts- und Staatstheorie.* 2008. 90 S. mit 25 Abb.

91 Horst Dreier: *Gilt das Grundgesetz ewig? Fünf Kapitel zum modernen Verfassungsstaat.* 2009. 128 S. mit 6 Abb.

92 Ernst Osterkamp: *Die Pferde des Expressionismus. Triumph und Tod einer Metapher.* 2010. 74 S. mit 10 Abb.

93 Gerhard Neumann: *Verfehlte Anfänge und offenes Ende. Franz Kafkas poetische Anthropologie.* 2011. 88 S.

94 Jürgen Stolzenberg: *»Seine Ichheit auch in der Musik heraustreiben«. Formen expressiver Subjektivität in der Musik der Moderne.* 2011. 102 S.

95 Heinrich Detering: *Die Stimmen aus dem Limbus. Bob Dylans späte Song Poetry.* 2012. 62 S.

96 Richard G. M. Morris: *Lernen und Gedächtnis. Neurobiologische Mechanismen.* 2013. 80 S. mit 7 Abb.

97 Jan Wagner: *Ein Knauf als Tür. Wie Gedichte beginnen und wie sie enden.* 2014. 80 S.

98 Walter Werbeck: *Richard Strauss. Facetten eines neuen Bildes.* 2014. 92 S. mit 6 Abb.

99 Karl Schlögel: *Archäologie des Kommunismus oder Russland im 20. Jahrhundert. Ein Bild neu zusammensetzen.* 2014. 120 S. mit 15 Abb.

100 Ronna Burger: *On Plato's »Euthyphro« – Über Platons »Euthyphron«.* 2015. 124 S.

101 Andreas Voßkuhle: *Die Verfassung der Mitte.* 2016. 70 S.

102 David E. Wellbery: *Goethes »Faust I«. Reflexion der tragischen Form.* 2016. 102 S.

103 Peter Schäfer: *Jüdische Polemik gegen Jesus und das Christentum. Die Entstehung eines jüdischen Gegenevangeliums.* 2017. 80 S.

104 Michael Jaeger: *Goethe, Faust und der Wanderer. Lebensbruchstücke, Tragödienfragmente.* 2017. 96 S. mit 19 Abb.

105 Christian Waldhoff: *Das andere Grundgesetz. Gedanken über Verfassungskultur.* 2019. 82 S.

106 Ernst Osterkamp: *Felix Dahn oder Der Professor als Held.* 2019. 140 S. mit 1 Abb.

107 Karlheinz Lüdeking: *Versuchung und Versagung in den Landschaften von Claude Lorrain.* 2020. 106 S. mit 44 Abb. und 4 Farbtafeln.

108 Horst Bredekamp: *Bild, Recht, Zeit. Ein Plädoyer für die Neugewinnung von Distanz.* 2021. 78 S. mit 21 Abb.

Außerhalb der Reihe sind erschienen:

1985 – 1995 Carl Friedrich von Siemens Stiftung – Zehnjahresbericht. 1996. 2. Auflage 1999. 144 S. mit 81 Abbildungen.

1995 – 2005 Carl Friedrich von Siemens Stiftung – Zehnjahresbericht. 2005. 174 S. mit 117 Abbildungen.

2005 – 2020 Carl Friedrich von Siemens Stiftung – Fünfzehnjahresbericht. 2020. 224 S. mit 190 Farbabbildungen.

Notiz zur Zitierweise

Marie Theres Fögen:
Das Lied vom Gesetz
München: Carl Friedrich von Siemens Stiftung, 2022
(Reihe »Themen«, Bd. 87, Zweite, durchgesehene Auflage).

ISBN 978-3-938593-37-0

Carl Friedrich von Siemens Stiftung
Südliches Schloßrondell 23
80638 München

© 2007 Carl Friedrich von Siemens Stiftung, München
Zweite, durchgesehene Auflage, 8.–12. Tausend, 2022
Layout und Herstellung Rainer Wiedemann
Druck Mayr Miesbach GmbH

Edition der
Carl Friedrich von Siemens
Stiftung

Friedrich Wilhelm Graf, Heinrich Meier (Hg.)
Politik und Religion
Zur Diagnose der Gegenwart
München, C.H. Beck, 2013. 2. Auflage 2017
325 Seiten. Klappenbroschur. € 14,95

Edition der
Carl Friedrich von Siemens
Stiftung

Friedrich Wilhelm Graf, Heinrich Meier (Hg.)
Die Zukunft der Demokratie
Kritik und Plädoyer
München, C.H. Beck, 2018
364 Seiten. Klappenbroschur. € 14,95